D0928713

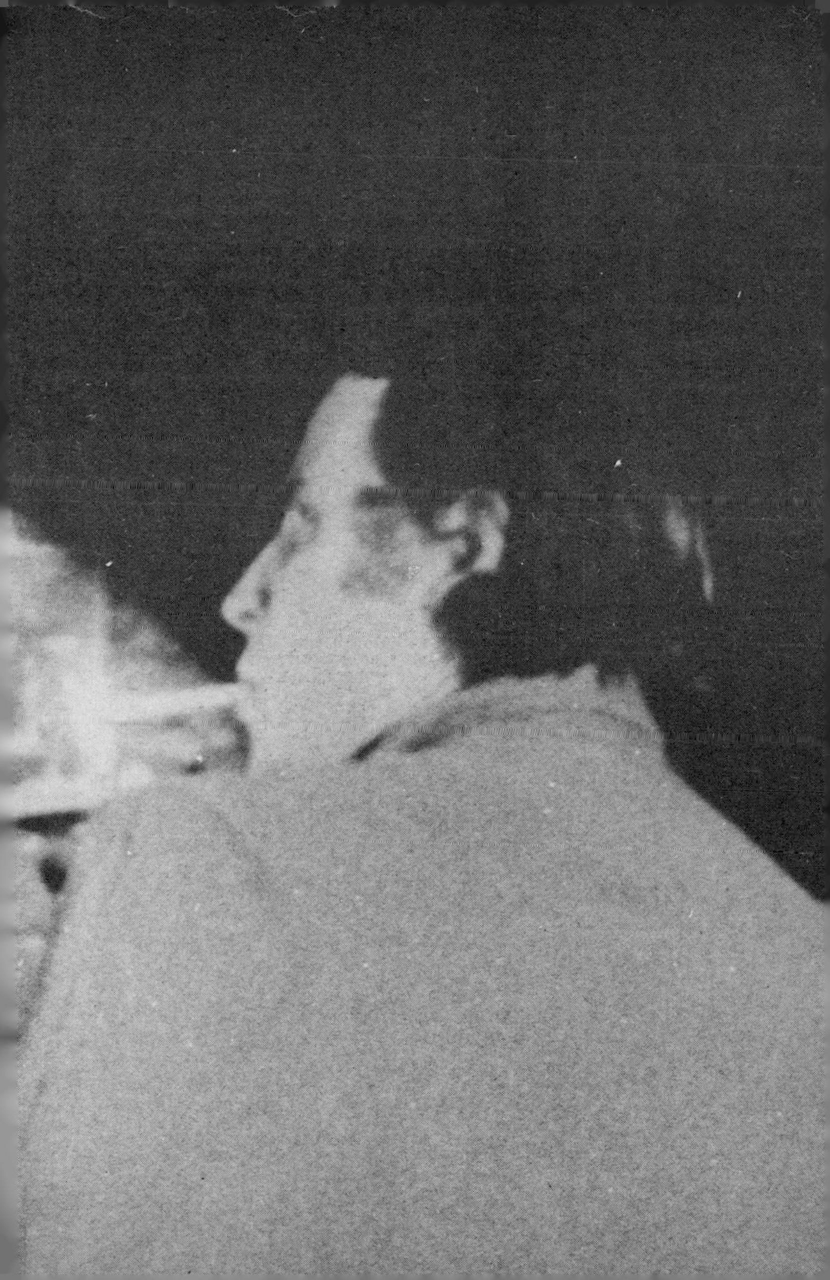

Pierre Saurel

LE CADAVRE REGARDAIT LA TÉLÉ

450 est, rue Sherbrooke, Suite 801, Montréal, Québec,
H2L 1J8
Tél. (514) 288-2371

DÉPÔT LÉGAL
1er TRIMESTRE 1981
BIBLIOTHÈQUE NATIONALE DU QUÉBEC
ISBN 2-89037-050-X

Chapitre premier

COUP DE POUCE

Marianne Tanguay releva la tête. Ses beaux cheveux blond cendré étaient défaits et ses paupières étaient rouges. Elle avait pleuré, mais ses yeux brillaient d'une lueur étrange ; une sorte de feu furieux les animait.

Elle joignit les deux mains, cherchant à calmer ce tremblement continu. Puis, ses lèvres frémirent : on aurait dit qu'elle voulait parler mais que sa bouche était incapable de prononcer les mots qui voulaient sortir d'elle.

Le vieil Euclide Raymond la prit dans ses bras, la serra contre lui et Marianne laissa glisser sa tête sur l'épaule du brave homme.

— Pleure, pleure, ma petite. Ça va te faire du bien, ça va te vider.

Mais les sanglots semblaient s'étrangler dans la gorge de Marianne et Euclide eut soudain peur qu'elle ne s'étouffe. Il la repoussa d'un geste brusque.

— Bon, c'est assez, Marianne !

Mais elle paraissait incapable de l'écouter. Elle était perdue au fond d'elle-même.

Euclide hésita. Lui, un homme doux, incapable de faire du mal à une mouche, il lui fallait faire quelque chose dont la seule idée le révoltait.

— Il le faut, murmura-t-il.

Et il gifla Marianne. Mais la gifle n'avait aucune force. C'était presque une caresse.

Retenant son souffle, il la gifla encore, à la volée. Cette fois, Marianne poussa un petit cri. Euclide comprit que c'était bien là le seul et unique moyen, et une troisième gifle fit tomber la jeune femme sur le fauteuil.

— Excuse-moi, ma petite, excuse-moi. Je ne veux pas te faire de mal.

Marianne avait subitement cessé de pleurer. Elle regardait maintenant Euclide avec des yeux fixes et dénués d'expression. Son visage s'était détendu, perdant son expression de furie exaspérée.

— Il faut que tu te calmes, tu m'entends ? Ne m'oblige pas à téléphoner à Bernard.

Elle poussa un cri et se leva du fauteuil comme mue par un ressort.

— Oh non !

Elle prit le bonhomme aux poignets :

— Non, non, Euclide, ne faites pas ça. Je suis prête à tout... mais pas ça, vous ne devez pas dire la vérité à Bernard. Jamais !

— Pourtant, des fois, je me demande si ce ne serait pas la solution.

— Non, non ! Oh ! tenez, je regrette de vous avoir appelé, de vous avoir mis au courant.

Mais Euclide était content de lui, il avait obtenu le résultat désiré. Maintenant, Marianne pouvait parler — et, surtout, elle pouvait écouter. Il la prit par la main et la fit asseoir sur le sofa.

— Assieds-toi près de moi, dit-il. Depuis que j'ai reçu ton appel, j'ai eu le temps de réfléchir. Ça m'arrive encore d'être capable, malgré mon âge !

— Euclide, demanda brusquement Marianne, qu'est-ce que je vais faire ? Ma vie est ruinée.

— Allons, allons, rien n'est jamais fini. Faut pas voir tout en noir. Moi, j'ai peut-être aperçu une lueur au bout de ce sombre corridor qui te semble sans issue.

Il fit une pause. Pendant un long moment, on n'entendait plus que la respiration oppressée de la jeune femme. Puis il dit lentement, en appuyant sur chaque syllabe :

— Robert Dumont.

Marianne le regarda. Elle cherchait à comprendre où cet homme, qu'elle aimait comme un véritable père, voulait en venir.

— Robert Dumont ? Je ne comprends pas.

— Ne me dis pas que tu as oublié ce policier manchot qui...

— Oh ! C'est de lui que vous parlez ?

— Je sais que tu ne veux pas mêler la police à cette histoire. Mais c'est justement pour ça que j'ai pensé à monsieur Dumont. Il n'est plus de la police officielle. Il a ouvert sa propre agence. Il est devenu enquêteur privé.

— Je sais tout ça, fit Marianne. Je crois même en connaître plus que vous, Euclide. Vous n'avez pas lu les dernières nouvelles concernant cet homme ?

— Je viens de te le dire. Je sais qu'il a quitté la police et...

— Le Manchot songeait à se marier. Mais la femme qu'il aimait a été assassinée. J'ai lu un article sur lui, pas plus tard qu'il y a deux jours. Un journaliste a cherché à obtenir une entrevue. Ç'a été impossible. Le Manchot est devenu un type hargneux, il en veut à tout le monde. On dit même qu'il est impossible avec ses clients.

En un mot, il a perdu goût à la vie. Si on suit les conseils du journaliste, si on veut obtenir des résultats, on va avoir avantage à s'adresser ailleurs.

Euclide était désarçonné. Il était clair qu'il n'était pas au courant des dernières nouvelles.

— Je vais quand même aller le trouver. Je me souviens comme il avait été compréhensif, comme il t'avait aidée. Un homme ne peut pas changer aussi brusquement. Il reste sûrement du bon au fond de lui.

Le brave homme se mit à rire.

— J'ai le tour, tu sais. Quand je suis arrivé ici, tantôt, tu parlais de suicide, tu parlais de meurtre...

Marianne avait serré les poings. Elle murmura entre ses dents :

— Je suis encore d'avis que ça serait la meilleure solution. Il accepterait de me recevoir. Oh ! que c'est avec plaisir que je lui tirerais une balle entre les deux yeux.

Euclide faillit se fâcher.

— Et tu crois que ça arrangerait les choses ? Tu serais accusée de meurtre, on brasserait toute cette boue... Non seulement tu ne sauverais rien, mais tu rendrais les autres malheureux et toi, tu finirais tes jours derrière les barreaux.

Il se leva.

— Je veux que tu me fasses une promesse, ma petite fille.

— Laquelle?

— Tu ne bougeras pas, tu ne feras absolument rien avant que je te donne de mes nouvelles. Pas un mot à ton mari, pas un mot à ta sœur... et surtout, ne lui parle pas, à lui.

— Faites vite, Euclide, faites vite, dit-elle d'une voix étranglée, je ne réponds plus de moi. Je sens que je vais commettre une bêtise.

Quelques instants plus tard, Euclide Raymond sortait de la riche demeure des Tanguay.

« Je n'étais pas au courant au sujet du Manchot, songeait-il. Va falloir que je le remonte, celui-là aussi, que je lui donne ce petit coup de pouce nécessaire pour qu'il reprenne goût à la vie. »

Quelques instants plus tard, il était en communication avec l'agence de détectives privés « Le Manchot ».

— Je voudrais parler à monsieur Robert Dumont, mademoiselle.

— Je regrette, monsieur Dumont est occupé. Puis-je vous être utile, monsieur?

— Il faudrait que je le voie. J'ai besoin de ses services.

— Si vous voulez passer au bureau, demain matin, monsieur Beaulac vous recevra.

Euclide s'impatienta:

— Vous n'avez rien compris, c'est Robert Dumont lui-même que je veux voir. Il me connaît.

— S'il vous connaît, c'est différent. Laissez-moi votre nom et votre numéro de téléphone ; monsieur Dumont vous rappellera... Du moins, je l'espère, soupira la secrétaire.

— Je m'appelle Euclide Raymond. Monsieur Dumont a déjà fait une enquête pour ma patronne, Marianne Tanguay.

— Votre numéro de téléphone, monsieur Raymond ?

Euclide le donna.

— Et surtout, dites-lui que c'est très urgent. Il me faut un rendez-vous. S'il tarde trop à me téléphoner... il pourrait se commettre un meurtre.

Mais, deux jours plus tard, le Manchot n'avait pas rappelé Euclide Raymond.

*

* *

Lorsqu'il faisait partie de la police officielle, on avait surnommé Robert Dumont « le bon diable ». C'est que Dumont était bâti comme un colosse, il avait un visage de dur, mais jamais il ne rouspétait. Toujours prêt à rendre service, il n'hésitait jamais à prêter main-forte à ses collègues. Puis, quand était arrivé l'accident qui lui avait coûté une partie du bras gauche, Dumont avait repris son service, mais avait dû s'astreindre à un ennuyeux travail de bureau. Pourtant, il supportait cela sans dire un mot.

— Il faut lui faire attention, disait-on parfois. C'est le genre d'homme qui endure... Mais quand il en a assez... tenez vos tuques !

Et un jour, Dumont en avait eu assez des remarques désobligeantes de son supérieur, l'inspecteur Bernier. Il avait failli l'étrangler, puis avait décidé de prendre sa retraite et d'ouvrir cette agence de détectives privés.

Il était redevenu le même homme, toujours gentil, toujours prêt à rendre service, capable d'aider des clients moins fortunés qui parfois réclamaient son aide.

L'agence du Manchot était vite devenue populaire. Mais voilà que le drame s'était produit brusquement. Nicole Poulin, cette jeune fille qui rêvait de devenir vedette de cinéma et qui avait accepté de travailler comme secrétaire au bureau du Manchot, avait été assassinée [1].

Or, Dumont venait, après bien des hésitations, d'avouer à la jeune fille qu'il l'aimait et tous les deux avaient décidé de s'épouser. Nicole n'hésitait pas à sacrifier sa carrière de

---

1. Lire le Manchot nº 4 — « Allô... ici la mort ! »

future vedette, pour devenir l'épouse de Dumont.

Mais depuis le jour où Dumont avait trouvé le cadavre de Nicole, tout avait changé. Il était devenu taciturne et renfermé. Il était dur, âpre, violent. Il ne supportait pas la moindre contrariété. Le Manchot en voulait à la vie, le Manchot s'en voulait. Il se sentait responsable de la mort de Nicole. C'est lui qui avait forcé la jeune fille à partir pour Miami, où elle avait trouvé la mort.

Le jeune Michel Beaulac, ex-policier lui aussi, continuait à travailler pour Dumont. Il se disait qu'un jour ou l'autre son patron reprendrait goût à la vie.

— Je m'étais juré de ne jamais me marier. J'aurais dû tenir ma promesse, avait dit le Manchot.

Et depuis ce temps, il semblait détester toutes les femmes. Les secrétaires ne restaient que deux ou trois jours à l'emploi de l'agence. Quand il arrivait au bureau, le matin, le grand Michel était presque assuré d'y trouver une nouvelle figure.

Ce jour-là, Robert Dumont avait confié du travail à son adjoint. Quant à lui, il préférait ne pas sortir, ne pas se mêler à la foule, ne pas quitter le bureau.

« Michel a peut-être raison, se surprit-il à se dire, après le départ du jeune homme. Je suis exténué. D'un autre côté, ce n'est pas en me reposant que je retrouverai le goût de vivre. Il faut que je continue à travailler... plus que jamais et... »

Il sursauta, car la porte de son bureau venait de s'ouvrir. Il bondit aussitôt de son fauteuil en criant :

— Mademoiselle, je vous ai dit de ne jamais entrer dans mon bureau sans frapper et...

— Oh ! Oh ! Prenez pas l'épouvante, Manchot. Moi, j'ai pas l'habitude qu'on me parle sur ce ton-là.

Dumont regarda la femme qui venait d'entrer. Elle était très jolie, très frappante, blonde, bien maquillée, mais un peu grande et un peu forte, presque un colosse.

— Qu'est-ce que vous voulez ? Qui vous a permis d'entrer ici ?

— Personne, je suis assez grande pour décider toute seule.

La fille, sans attendre qu'on l'y invitât, s'assit dans un des deux fauteuils qui faisaient face au bureau du Manchot. Sa robe remonta passablement au-dessus du genou, laissant voir des cuisses grasses, mais très appétissantes et, surtout, fort bien formées.

— Mademoiselle...

— Vous m'avez jamais appelée mademoiselle jusqu'ici... Dites-moi pas, Robert, que vous vous souvenez pas de moi ? J'ai peut-être vieilli un peu, mais pas à ce point-là. Je suis aussi grande qu'autrefois et un peu moins grosse... Disons aujourd'hui, je suis grasse. Mais 161 livres pour une fille de cinq pieds onze, c'est pas si pire.

Malgré lui, Dumont, intrigué, avait perdu son air de chien enragé.

— Moi, je vous connais...

— Je comprends qu'il vous est arrivé un grand malheur. J'ai lu ça dans les journaux. Mais c'est pas une raison pour perdre la mémoire. C'est vrai que ça fait déjà plus de cinq ans. Une femme qui veut devenir police ! Ça se faisait pas, fallait pas y penser. Aujourd'hui, pourtant...

— Candy ! s'écria Dumont.

Elle se leva tout aussi rapidement qu'elle s'était assise. Elle était d'une légèreté et d'une souplesse surprenantes.

— Mais oui, c'est ça... c'est vous qui m'aviez baptisée Candy.

Et, saisissant la tête de Dumont entre ses deux mains, elle l'embrassa sur les deux joues.

Lentement, le Manchot fit le tour de son bureau, alla prendre place dans sa chaise pivotante et fit signe à la fille de se réinstaller dans son fauteuil.

— Candy ! Je me souviens parfaitement. J'avais changé ton nom... attends, j'essaie de me rappeler...

— Vous trouverez pas, c'est Candine, Candine Varin.

— C'est vrai... Candine, je n'avais jamais entendu ce prénom-là.

— Pourtant, c'était celui de ma grand-mère. Je l'ai toujours plainte, la pauvre.

Et les souvenirs refaisaient surface dans la mémoire de Robert Dumont. Il se rappelait le jour où cette femme colossale avait demandé à entrer dans la police. On l'avait engagée, oui, mais comme simple employée de bureau, en lui laissant cependant un petit espoir.

— Peut-être qu'un jour on décidera d'augmenter notre effectif, d'engager des femmes constables.

Dumont s'était tout de suite plu en compagnie de cette grosse fille qui avait son franc parler, qui aimait la vie, qui savait rire, tout en étant parfois très sérieuse.

C'est surtout le côté athlétique de Candine qui avait intéressé Dumont. Candy, comme il l'avait baptisée, s'adonnait à presque tous les sports. Si elle n'avait pas été si grande et si grosse, elle aurait pu devenir une reine de beauté. Elle avait un corps splendide, même si on y trouvait un peu trop de bourrelets.

Elle n'était pas demeurée longtemps au sein de la police. Le travail de bureau ne lui plaisait pas. Et un jour, après à peine trois mois de service, elle avait donné sa démission.

— Qu'est-ce que tu as fait, depuis ce temps ?

Dumont l'avait toujours tutoyée. Il avait même plaidé sa cause auprès de ses supérieurs.

— Je me suis mise à la diète !

Et la fille éclata de rire.

Pour la première fois depuis quelques semaines, Dumont se surprit à esquisser un sourire.

— Je suis sérieuse. J'ai suivi une diète excessivement sévère. Je jeûnais presque. Je me suis rendue malade et j'ai maigri. Je suis descendue jusqu'à 140. Vous auriez dû me voir : une morte ambulante. J'ai toujours été forte du buste. Eh bien, ça pendait, monsieur... sans soutien-gorge, je risquais presque de les écraser en marchant.

Cette fois, le Manchot éclata franchement de rire.

— C'est ça, moquez-vous de moi.

— Mais non, Candy...

— Alors, j'ai fait de la culture physique. Je me suis remise au sport. J'ai fait du judo, du karaté, j'ai rebâti mes muscles. Il m'a fallu passer sous le bistouri pour me replacer les seins... Là, au moins, ça se tient. J'ai repris du poids, mais ce n'est pas de la graisse, c'est du muscle. Ça me gêne pas du tout de me montrer en bikini. Autrefois, on me regardait pour se moquer ; aujourd'hui, les hommes sifflent quand ils me voient passer. Voilà mon histoire.

J'ai travaillé dans des restaurants comme serveuse, mais, depuis une couple d'années, je suis monitrice. J'enseigne le sport et la culture physique. Croyez-le ou non, monsieur « chose », mais j'ai même appris le ballet. Au début, c'était pas bien beau. Aujourd'hui, je danse pas la mort du cygne, mais je peux faire la mort du singe.

Et elle se remit à rire. Dans le bureau voisin, la nouvelle secrétaire ne comprenait plus rien à la situation. Comment cette femme sans gêne, qui avait traversé son bureau comme une tempête, avait-elle pu, en quelques minutes, changer son patron à ce point?

Chapitre II

UN BEAU SALAUD

Michel Beaulac entra dans le bureau de Robert Dumont. Pour la première fois depuis des semaines, Dumont lui avait dit bonjour. C'était bon signe.

— J'ai une histoire à te conter, Michel. Puis, plus tard, je te présenterai notre nouvelle employée.

— Carabine! Dites-moi pas que vous avez encore changé de secrétaire?

— Non, Rita reste avec nous. Elle fait du bon travail.

Et le Manchot lui conta l'histoire de Candine Varin.

— Comme elle a un curieux de prénom, nous continuerons à l'appeler tout simplement Candy.

Et lorsqu'il eut terminé son récit, le Manchot déclara :

— Je vais permettre à cette fille de satisfaire son rêve. Elle va travailler pour nous. Elle servira d'adjointe à Rita, mais sera également détective. Elle dirigera des enquêtes, comme toi et moi. Une chose est certaine, elle a suffisamment de cran pour réussir dans le métier, et il n'y a pas un homme pour l'impressionner ou lui faire peur.

— Elle est venue s'offrir, comme ça ?

— Elle a cru le moment propice.

Le Manchot ajouta, à voix plus basse :

— Elle a lu dans les journaux l'histoire de Nicole. Certains journalistes ont parlé de moi, disant que je souffrais de dépression, que personne ne pouvait demeurer à mon emploi. Alors, elle a cru que c'était le bon moment et, tu vois, je l'ai engagée.

Quelques minutes plus tard, Candy arrivait. Michel ne put s'empêcher de dire au Manchot :

— C'est tout une femme... et très jolie.

— Eh bien, je te préviens, tu fais mieux de tenir ta place, car elle pourrait facilement te mettre knock-out.

Ce jour-là, le Manchot sortit enfin pour s'occuper personnellement d'une enquête. L'homme reprenait goût à la vie.

Et c'est pendant son absence qu'Euclide Raymond se présenta au bureau.

— Monsieur, que puis-je faire pour vous? demanda Rita.

— Écoutez, mademoiselle, ça fait plusieurs fois que j'appelle pour obtenir un rendez-vous avec monsieur Dumont. Il me connaît. On me dit toujours qu'il va me rappeler. J'ai beau mentionner que c'est urgent, il ne me rappelle pas. Eh bien, aujourd'hui, j'ai pris ma journée et je ne partirai pas d'ici avant de l'avoir vu!

— Vous êtes monsieur?

— Raymond, Euclide Raymond. Ce doit être à vous que j'ai parlé...

— Oui, je me souviens. J'ai transmis votre message à monsieur Dumont. Malheureusement, il a dû oublier. Il est très occupé, vous savez et...

— Occupé! Un appel, ça ne prend pas un an. Je vous dis que je ne partirai pas d'ici avant de l'avoir vu.

— Mais il est absent présentement, et je ne sais pas au juste quand il reviendra.

Euclide donna un coup de poing sur le comptoir.

— Je ne vous crois pas. Qu'est-ce qu'il attend pour me recevoir? Qu'il y ait eu un meurtre? C'est justement ce que je veux empêcher.

Juste à ce moment, Euclide vit la belle blonde, assise au fond du bureau, se lever.

— Laissez, Rita, je vais m'occuper de monsieur.

Puis, s'adressant à Euclide:

— Tout d'abord, je suis pas sourde. Donc, inutile de crier. Vous allez me raconter, calmement, ce qui vous arrive et...

— C'est pas vous, Robert Dumont! C'est lui que je veux voir, personne d'autre.

— Écoutez, mon petit bonhomme, fit Candy en perdant patience, si monsieur Dumont recevait personnellement tous les gens qui appellent et qui se disent ses amis, il passerait ses journées en entrevues et ne pourrait jamais mener à bien ses enquêtes. S'il fallait tous vous écouter, nous n'aurions que du travail très urgent. Alors, êtes-vous décidé à me conter ce qui vous arrive?

Comme Euclide ne répondait pas, Candy se tourna du côté de Rita.

— Je vais prendre le bureau de monsieur Robert. Si vous voulez bien me suivre, monsieur.

Mais, brusquement, Euclide s'assit dans un fauteuil réservé aux visiteurs.

— Non, je ne vous suivrai pas. Je préfère attendre. C'est à monsieur Dumont que je veux parler !

— Allons, qu'est-ce qui se passe ici ?

Dans le brouhaha personne n'avait entendu la porte s'ouvrir.

Euclide se retourna et s'écria :

— Mais c'est vous, le Manchot ! Je vous reconnais, vous n'avez pas changé du tout. Vous vous souvenez de moi ?

— Je regrette, monsieur, mais je rencontre tellement de gens... S'il fallait me souvenir de tous les visages...

— Comment, dites-moi pas que vous avez oublié Marianne Tanguay ? C'est vrai qu'à ce moment-là, elle ne se nommait pas Tanguay. C'était mademoiselle Prince, de la compagnie Prince.

— Mais oui, je me souviens, maintenant.

Le Manchot remercia Candy et fit passer le brave homme dans son bureau.

— Vous savez, je n'ai pas changé mes habitudes. Je fume toujours la pipe. Vous permettez ?

— Certainement.

Pendant qu'Euclide chargeait sa pipe de bon tabac canadien, le Manchot expliqua :

— J'aurais dû vous téléphoner. Mais j'ai passé par une très mauvaise période. J'oubliais tout, je ne travaillais plus. Remarquez que je ne cherche pas une excuse...

— Je vous comprends. Moi aussi, je suis passé par là, il y a une dizaine d'années, quand j'ai perdu ma femme. C'est pas trompant, je voulais mourir. Je ne me voyais pas vieillir tout seul. J'avais oublié que de bons amis m'entouraient : une autre famille, monsieur Prince et ses deux filles, Marianne et Lorraine.

Après que le bonhomme eut enfumé la pièce en allumant sa pipe, le Manchot déclara :

— Je crois me souvenir exactement de l'affaire Prince. Est-ce que votre visite concerne encore cette affaire ?

— Comment, si elle la concerne ! C'est toujours la même histoire qui se continue. Le même beau salaud, Victor Gauvin, le fameux comptable qui aurait dû échouer derrière les barreaux.

— Alors, avant de me dire ce qui se passe aujourd'hui, pourriez-vous me rafraîchir la mémoire ? Il s'agissait d'une histoire de détournements de fonds, n'est-ce pas ?

— C'est bien ça.

Et Euclide Raymond lui rappela ce qui s'était passé.

*

*   *

C'est Euclide Raymond qui s'était adressé à la police et qui avait demandé que l'on ouvre une enquête à la compagnie Prince.

— Je suis certain que mademoiselle Marianne se fait voler.

Et on avait confié cette enquête à Robert Dumont. Il s'agissait d'une affaire facile, une simple histoire de détourncments de sorte que même avec son handicap on considérait que le Manchot pouvait la mener à bonne fin.

Euclide avait raconté au détective Dumont :

— Notrc compagnie emploie de nombreux voyageurs. En plus de leur salaire, ces voyageurs ont un compte de dépenses. Le comptable l'étudie et, si c'est raisonnable, il prépare les chèques et mademoiselle les signe.

— Vous, monsieur Raymond, quel est votre emploi, exactement ?

— On m'a confié le poste de gérant, mais ça ne veut rien dire. Je suis le bouche-trou de la compagnie. Je fais le travail de messager, je m'occupe souvent des vendeurs, j'aide parfois à la comptabilité, ça m'arrive même de faire du ménage.

Mais, en fait, il était l'homme de confiance de la jolie Marianne Prince. La jeune fille avait pris la direction de la compagnie à la mort de son père ; mais elle était bien jeune. Elle faisait confiance à Euclide Raymond, le plus vieil employé de la compagnie, et au comptable

Victor Gauvin, à son service depuis déjà cinq ans.

— En jetant un coup d'œil dans les livres, j'ai remarqué que les voyageurs ont reçu de gros chèques pour leurs dépenses. Je suis certain qu'avec monsieur Prince, ça n'aurait jamais passé.

— Qui a approuvé ces dépenses?

— Mademoiselle Marianne, semble-t-il, puisqu'elle a signé les chèques. Mais voilà l'affaire: j'ai posé des questions à mademoiselle... sans trop l'inquiéter... Autrement dit, j'ai fait ma petite enquête et elle ne se souvient pas du tout d'avoir signé de tels chèques.

La situation était claire.

— Un employé de la comptabilité ferait des chèques aux noms des voyageurs, imiterait la signature de mademoiselle Prince et, ensuite, changerait ces chèques, dit le Manchot.

— C'est ce que je crois.

— Mais vous n'êtes pas nombreux dans cette compagnie? Combien y a-t-il d'employés, à l'exception des vendeurs?

— Nous sommes neuf seulement. Monsieur Gauvin, le comptable, a un assistant. Il est avec nous depuis six mois seulement. Il se nomme Bernard Tanguay. Ensuite, il y a le département de l'expédition. Un homme le dirige et il a deux employés sous ses ordres. Avec moi, ça fait six hommes, il y a deux jeunes filles qui travaillent dans le bureau et, enfin, mademoiselle Marianne. Donc, neuf en tout.

Robert Dumont avait compris que l'enquête serait facile.

— À l'exception de vous et des deux comptables, personne ne touche aux livres?

— Personne.

— Vous soupçonnez quelqu'un?

— Vous me placez dans une drôle de situation. Monsieur Gauvin travaille pour la compagnie depuis cinq ans. Quant au jeune Tanguay, il m'est bien sympathique. Il se confie souvent à moi.

Et Euclide avait avoué au Manchot que le jeune Tanguay était amoureux de Marianne.

— Mais il arrive souvent à mademoiselle de sortir avec monsieur Gauvin. Moi, je crois que le jeune Tanguay conviendrait mieux à mademoiselle. C'est plus de son âge. Mais Bernard est trop timide. Je lui ai conseillé de suivre des cours de personnalité.

Dumont avait rapidement tiré ses conclusions. Il était clair qu'Euclide Raymond n'aimait pas beaucoup le comptable Gauvin; par contre, son assistant lui était sympathique.

— Pouvons-nous sortir les livres de la compagnie? Je suppose que vous désirez une enquête discrète?

— La plus discrète possible.

Euclide pouvait sortir les livres de la compagnie, le vendredi ; mais il fallait absolument qu'ils soient en place le lundi matin.

L'enquête fut menée rapidement. Dumont alla questionner quelques vendeurs, des comptables experts scrutèrent les livres et la vérité éclata.

Quelqu'un avait imité la signature de Marianne Prince et plus de dix mille dollars avaient été détournés. En outre, les comptables et Dumont se rendirent compte que, du temps que monsieur Prince vivait, quelques faux chèques avaient également été faits. Ils étaient passés inaperçus car les montants étaient beaucoup moins élevés.

Puis, on confia à des graphologues professionnels la tâche d'étudier les fausses signatures et, bientôt, Robert Dumont eut en mains toutes les preuves nécessaires pour faire arrêter le comptable, Victor Gauvin.

Euclide Raymond avait fait venir le détective au bureau de Marianne. Il n'avait rien dit à la jeune directrice et ce fut le Manchot qui lui apprit la vérité.

— Non, non, je ne veux pas le croire ! s'écria-t-elle.

— Nous avons toutes les preuves.

— Et Victor disait qu'il m'aimait ! C'est incroyable. Il doit avoir une excuse.

— Allons donc, il a même volé votre père.

Marianne se résolut enfin à convoquer Victor Gauvin à son bureau. Lorsqu'il comprit qu'il était démasqué, l'homme ne broncha pas. Au contraire, il prit un petit air moqueur.

— Tout ça est ridicule, lança-t-il. Depuis quand accuse-t-on quelqu'un de se voler lui-même ?

— Comment ça, Victor, te voler ? avait demandé Marianne.

Et, à la grande surprise d'Euclide, Gauvin avait déclaré :

— Je serai le grand patron dans quelques mois, peut-être quelques semaines. Marianne et moi ne sommes pas encore mariés mais c'est tout comme, puisqu'elle est ma maîtresse.

Marianne se leva, blême, la mâchoire crispée.

— Salaud ! siffla-t-elle. Ce secret devait demeurer entre nous. Et dire que je croyais que tu m'aimais. Je mourrai vieille fille s'il le faut, mais jamais je ne serai ta femme, tu entends, jamais. Pars, va-t'en, je ne veux plus te voir la face !

Et la jeune fille avait fait une véritable crise de nerfs.

— Tu fais mieux de réfléchir, Marianne. Si tu me chasses, tu le regretteras. Tout le monde saura qui est cette fausse sainte nitouche qui se dit la patronne.

Mais Marianne avait tenu son bout et congédié Victor Gauvin sur-le-champ. Cependant, malgré les conseils d'Euclide et de Robert Dumont, pour éviter un scandale elle refusa de déposer une plainte contre l'homme qui avait été son amant.

*

* *

— En réalité, monsieur Dumont, Marianne n'avait jamais aimé Gauvin. C'est lui qui avait su l'enjôler.

— Je me souviens d'avoir vu la photo du jeune Tanguay et de mademoiselle Prince dans les journaux.

Euclide esquissa un large sourire.

— Mes conseils ont porté fruit, vous savez. Bernard a pris des cours de personnalité. Il est devenu comptable en chef et, en moins de six mois, il a réussi à se faire aimer de mademoiselle. Maintenant, ils sont mariés. Ça, c'est de l'amour, monsieur !

Mais le Manchot se demandait, maintenant, pour quelle raison Euclide Raymond était venu lui rendre visite.

— Victor Gauvin a toujours dit qu'il se vengerait. Eh bien ! il vient de réapparaître dans le décor et, le pire, c'est que Marianne ne se doutait de rien.

— Comment ça ?

— Marianne a une jeune sœur, Lorraine, qui a passé presque toute sa jeunesse dans les couvents. Marianne a eu très peu de contacts avec sa sœur. Lorraine habite en appartement depuis un an. Elle a hérité de son père et possède des actions dans la compagnie, mais elle ne travaille pas. Elle dépense passablement. Il y a plus d'une semaine, Lorraine a dit à sa sœur qu'elle était amoureuse et qu'elle allait se marier.

Le Manchot bondit :

— Dites-moi pas qu'il s'agit du même homme ? Lorraine serait amoureuse de Victor Gauvin ?

— Vous avez deviné juste. Ce beau salaud s'est attaqué à la sœur de Marianne. Gauvin est un Don Juan, un beau parleur et la petite est tombée dans le piège. Marianne voudrait tout faire pour empêcher ce mariage.

— Justement, a-t-elle fait quelque chose ?

— Elle a rencontré Victor Gauvin. Il s'est moqué d'elle. Il l'a mise au défi de faire éclater la vérité. Il sait que Lorraine ne croira jamais sa sœur.

Robert Dumont resta un long moment sans parler. Il réfléchissait.

— Vous croyez que Bernard Tanguay est sérieux, qu'il adore sa femme ?

— Oui.

— Eh bien, elle devrait tout avouer à son mari.

Euclide bondit :

— Jamais ! Bernard adore sa femme, mais ce n'est pas un homme parfait. Pour se donner du cran, quand il a trop de travail ou quand il est fatigué, il prend un verre... parfois, un peu trop. Et quand il boit, il devient violent. Il perd la tête, il ne peut plus réfléchir. Il ne croira pas sa femme.

— Mais, puisqu'il l'aime, il doit avoir confiance en elle ?

— Il a confiance... mais il y a aussi les lettres.

— De quelles lettres voulez-vous parler ? demanda le Manchot.

— J'aurais dû vous le dire plus tôt, s'excusa Euclide. Quand ça allait bien entre Gauvin et mademoiselle, du temps qu'elle était sa maîtresse, il disait s'ennuyer beaucoup et il lui demandait de lui écrire presque tous les jours.

— Et elle l'a fait ?

— Non seulement elle l'a fait, mais ces petits mots d'amour, ces courtes lettres d'une maîtresse à son amant ne sont pas datés. Gauvin les a conservés précieusement et, si Marianne essaie d'empêcher le mariage avec Lorraine, il fera croire à tous que Marianne est toujours demeurée sa maîtresse.

Le Manchot avait de la difficulté à croire qu'il puisse exister des êtres aussi vils, aussi bas.

— Vous auriez dû voir madame Marianne. Je ne l'ai jamais connue dans cet état. Heureusement que j'ai pensé à vous.

— Comment ça?

— Elle voulait revoir Gauvin et était prête à le tuer. Je vous le dis, elle avait perdu la tête. C'est pour cette raison-là que j'ai mentionné à votre secrétaire que c'était urgent.

À la grande surprise d'Euclide Raymond, le Manchot était très calme.

— Elle n'a plus à s'en faire, monsieur Raymond. Vous allez me donner l'adresse de Gauvin et j'aurai une petite conversation avec lui.

— Et vous croyez qu'il s'effacera, sans rien dire?

— J'ai plus d'un tour dans mon sac, vous savez.

Il montra sa main gauche.

— Parfois, cette prothèse m'est très utile, c'est une bonne cachette.

— Comment ça?

— Je peux y placer un micro miniature. Je pose mon bras sur le bureau et tout ce que Gauvin dira sera enregistré. J'irai le voir, sans témoin. Nous parlerons de ce qui s'est passé il y a deux ans. Il n'a aucune raison de me jouer la comédie, à moi. Sans aucun témoin, il parlera, il dévoilera son jeu. Par la suite, je lui ferai savoir que tout ce qu'il a dit est enregistré et que cette conversation pourrait l'envoyer à l'ombre pour plusieurs années. Madame Marianne peut encore l'accuser de détournement. Avec l'enregistrement en mains, elle pourra dire l'exacte vérité à son mari et à sa sœur. Ils seront obligés de la croire.

Euclide paraissait soulagé.

— Espérons que ça marchera. Demain, je passerai voir Madame et je la rassurerai.

— Quant à moi, je ne prendrai même pas de rendez-vous avec Gauvin. Je l'attaquerai par surprise ; c'est encore le meilleur moyen.

Quelques instants plus tard, Euclide Raymond sortait du bureau. Il venait à peine de refermer la porte que Candy s'écria :

— Qu'est-ce que ça sent ici ?

Le Manchot se mit à rire.

— La pipe... le véritable tabac canadien.

Candy haussa les épaules.

— Pour moi, le bonhomme a dû le mélanger avec du fumier !

Chapitre III

DÉCOUVERTE

Marianne Tanguay avait cherché à rejoindre Euclide Raymond, mais il était toujours sorti. « Il faut que je fasse quelque chose. Euclide ne m'a pas prise au sérieux. Je me dois d'intervenir. »

Mais elle sentait bien qu'elle serait incapable de tuer Victor Gauvin, même si elle lui vouait une haine implacable. « Je dois me sacrifier, décida-t-elle. Je vais tout dire, tout. Je vais d'abord parler à Lorraine, puis à Bernard. »

Et elle fit venir sa jeune sœur chez elle.

— Lorraine, j'ai longuement hésité mais, aujourd'hui, tu dois connaître la vérité. Il ne faut pas que tu épouses Victor Gauvin.

— Enfin ! Tu y arrives, s'écria Lorraine. Je savais bien qu'un jour ou l'autre, tu m'en parlerais. Victor m'avait prévenue ! Alors, c'est vrai, tu l'aimes ? Tu voudrais le ravoir comme amant. Tu lui écris encore des lettres enflammées ? Je dois avouer que tu as un assez bon style, ma chère sœur.

— Quoi ? Il t'a montré...

— Pas toutes tes lettres, non, une seule, une que tu lui as écrite la semaine dernière, je crois.

— Mais non, Lorraine ! Ces lettres datent de deux ans. Victor t'a dit que je l'avais congédié alors qu'il était comptable de notre compagnie ? Victor t'a dit qu'il nous avait volés ?

— Il m'a tout conté. Une histoire de détournements. Il te fallait un coupable et tu as accusé Victor sans preuves. Il ne t'en a pas voulu puisqu'il est devenu ton amant. Mais il s'est vite fatigué d'une hypocrite comme toi.

— Mais Lorraine, c'est faux, je te jure que...

— Ne jure pas inutilement, ma chère sœur. Tu es jalouse de moi parce que je t'ai volé l'homme que tu aimais. Je me demande ce que Bernard dirait s'il était au courant de la conduite de sa femme.

Et Lorraine refusa d'écouter sa sœur plus longtemps.

Ce jour-là, Bernard était allé dans les Laurentides. Il avait pris une journée de congé pour faire du ski de printemps. Lorsqu'il revint à la maison, il se rendit rapidement compte que sa femme avait pleuré.

— Voyons, qu'est-ce que tu as, Marianne? Qu'est-ce qui s'est passé?

Bernard était de bonne humeur. Il avait pris quelques verres mais, surtout, il avait aimé sa journée. Sa femme se jeta dans ses bras.

— Bernard! Bernard, dis-moi que tu m'aimes. Quoi qu'il arrive. J'ai besoin que tu me le dises.

— Tu sais que je t'adore... Mais qu'est-ce que tu as, ce soir? Il est arrivé quelque chose durant mon absence?

En pleurant, Marianne avoua:

— J'ai un aveu à te faire, Bernard. J'aurais dû parler plus tôt, j'aurais dû te dire toute la vérité, il y a deux ans.

Le jeune époux commençait à s'inquiéter.

— Toi, j'ai l'impression que tu viens de commettre une bêtise.

— Non, oh non! Mais tu sais combien j'ai hésité quand tu voulais me fréquenter. Je repoussais toutes tes invitations.

Bernard esquissa un sourire.

— J'étais idiot. Au début, je n'osais même pas t'adresser la parole, tu me glaçais. Puis, quand je me suis dégelé, tu venais de briser avec Gauvin. Je savais fort bien que je réussirais à te le faire oublier, mais j'étais trop anxieux. Mais pourquoi me parles-tu de ça aujourd'hui ? Oublie cette vieille histoire, je vais te raconter notre journée dans les Laurentides.

Mais elle l'interrompit.

— Bernard, c'est très sérieux. Victor... il n'était pas seulement un ami. J'étais sa maîtresse.

Tanguay changea brusquement d'air.

— Je savais que je n'avais pas épousé un ange... Mais je n'aurais jamais cru... Toi, la maîtresse de Gauvin... C'est difficile à avaler.

— Ce n'est pas tout. Victor, il a rencontré Lorraine...

— Hein ?

— Il veut l'épouser... Et puis, il y a les lettres d'amour...

— Une seconde, fit Tanguay qui commençait à s'y perdre. Je voudrais bien comprendre quelque chose. Tu parles de Gauvin, puis de Lorraine, enfin de lettres d'amour... Mais qu'est-ce que c'est que tout ça ?

Marianne s'expliquait fort mal, elle était nerveuse. Ses idées se bousculaient dans sa tête.

— J'ai écrit des lettres d'amour à Victor... Il en a montré une à Lorraine. Elle pense que... enfin, que je suis toujours amoureuse de Victor... que je suis jalouse.

— C'est ridicule. Si ça date de deux ans...

— Justement, il n'y a pas de date sur ces lettres... ce n'étaient que des petits mots d'amour... Mais Victor a tout conservé et...

Brusquement, Bernard Tanguay repoussa sa femme.

— Pour qui me prends-tu ? Oh, ne le dis pas ! Je suis un idiot, un imbécile. J'aurais dû voir clair dans votre jeu !

— Bernard !

— Lorraine est plus perspicace que moi. Tu crois sincèrement que j'aurais avalé cette histoire de lettres d'amour non datées... Allons donc ! Vous avez dû vous amuser, Victor et toi.

— Non, non, Bernard, ce n'est pas ça, je te jure que ce n'est pas ça.

— Tais-toi ! Vous êtes deux beaux salauds. Et moi, la poire, j'ai tout gobé... Tout.

Elle fit un pas en direction de son mari.

— Non, approche pas, Marianne, je serais capable de commettre un malheur !

Il se détourna et marcha rapidement vers la porte.

— Bernard, où vas-tu ?

— Qu'est-ce que ça peut te faire ? Appelle ton amant si tu veux, je lui laisse la place.

Il sortit en claquant la porte. Marianne se laissa tomber sur un fauteuil. Elle n'en pouvait plus, elle ne pouvait même pas verser une larme.

— C'est fini... fini...

Comme une automate, elle se dirigea vers sa chambre. Elle ouvrit le tiroir de sa table de chevet. Sous ses chemises de nuit, il y avait le revolver qu'elle s'était procuré deux ans plus tôt. Elle allait s'emparer de l'arme, lorsque la sonnerie du téléphone la fit sursauter. Elle regarda autour d'elle, comme un coupable pris en flagrant délit. Machinalement, elle décrocha, sans même avoir l'intention de répondre.

— Allô? Allô? Tu es là, Marianne... c'est moi... Euclide... Allô, Marianne?

— Oh! Euclide!

— Voyons, qu'est-ce qui se passe encore? Je vois que je t'appelle au bon moment. Je voulais attendre à demain pour t'apprendre l'heureuse nouvelle...

— Quelle nouvelle?

— Le Manchot! Il va s'occuper de toi, je l'ai vu. À compter de demain, tu n'auras plus rien à craindre de Victor Gauvin.

Marianne ne répondit pas.

— Allô, Marianne, tu m'écoutes?

— Il est trop tard, Euclide, trop tard. J'ai parlé... Lorraine... Bernard... ils savent tout... et ils ne veulent pas me croire.

Elle avait crié ces derniers mots.

— Mais pourquoi n'as-tu pas attendu? Marianne, tu vas me faire le plaisir d'oublier Victor, Lorraine, ton mari... Oublie tout.

Demain, ce sera un autre jour. Fais confiance au Manchot. Il le faut.

— Si seulement vous pouviez dire vrai, murmura Marianne.

— Mais je dis vrai. Tu me jures de ne pas commettre de bêtises ?

— Je suis fatiguée, Euclide ; je n'en puis plus... je suis tellement fatiguée.

— Fais ce que je te dis : oublie ça et couche-toi tout de suite.

— Oui, oui, merci Euclide, merci.

Elle raccrocha. Elle n'en pouvait plus, elle s'écroula sur son lit.

Quant à Euclide Raymond, il s'en voulait de ne pas avoir communiqué avec Marianne plus tôt. « J'aurais dû la prévenir de mes démarches », songeait-il amèrement. Puis il pensa au Manchot et décida de lui téléphoner immédiatement pour le mettre au courant des derniers événements.

Mais ce fut le service téléphonique qui répondit :

— Monsieur Dumont est absent, présentement. Si vous voulez bien laisser votre numéro de téléphone, il vous rappellera demain.

Euclide raccrocha en murmurant :

— Demain... Espérons que ce ne sera pas trop tard !

*

* *

Robert Dumont avait prévenu sa secrétaire.

— Je ne sais pas à quelle heure je rentrerai, demain. Je dois rencontrer quelqu'un, très tôt.

Il avait pris sa décision. Dès huit heures du matin, il se présenterait à l'appartement de Victor Gauvin. « Il doit travailler quelque part. Il faut que je le voie avant qu'il ne parte. »

À sept heures, le Manchot était déjà debout. Après avoir pris sa douche, il installa sa prothèse, après avoir fixé à l'intérieur un micro miniature. Le fil longeait son bras gauche et allait jusqu'à la poche de sa chemise, où il portait un magnétophone pas plus gros qu'un paquet de cigarettes et capable d'enregistrer durant une heure.

Comme il avait neigé légèrement et que les routes étaient particulièrement glissantes, il quitta son appartement à sept heures trente. Vingt minutes plus tard, il était rendu dans le centre-ville. Il gara sa voiture dans un terrain de stationnement et se dirigea vers la maison où habitait Gauvin.

Dans le hall d'entrée, il y avait un tableau avec tous les noms des locataires. « Victor Gauvin, appartement 502. »

Il allait appuyer sur le bouton du 502, lorsque quatre ou cinq locataires sortirent de l'ascenseur pour se rendre à leur travail. Le Manchot n'eut donc pas à sonner pour se faire ouvrir la double porte intérieure et se glisser dans la bâtisse.

Quelque secondes plus tard, il frappait à la porte de l'appartement. Personne ne répondit. « Pourtant, il y a quelqu'un. J'entends de la musique. »

Il frappa de nouveau, mais avec beaucoup plus de force. Il n'eut pas plus de succès. « Pourquoi n'ouvre-t-il pas? Peut-être est-il sous la douche? »

Par habitude, le Manchot tourna la poignée et, à sa grande surprise, la porte s'ouvrit. Cette porte ne se verrouillait que de l'intérieur, remarqua-t-il machinalement.

— Il y a quelqu'un?

Pas de réponse. La musique provenait du salon. Le Manchot entra dans la pièce et se rendit compte que l'appareil de télévision était ouvert. À cette heure-là, il n'y avait aucune émission, mais on diffusait de la musique. Ses yeux firent rapidement le tour de la pièce. En face de la télévision, il y avait une causeuse, c'est-à-dire un meuble où seules deux personnes pouvaient prendre place. Et sur cette causeuse, il y avait un homme qui à première vue, pouvait avoir un peu plus de quarante ans. Cet homme, le Manchot ne l'avait vu qu'une fois, deux ans plus tôt; mais il le reconnut immédiatement.

C'était le comptable, Victor Gauvin. Beaucoup de sang avait coulé sur sa chemise. Gauvin avait reçu une balle en pleine poitrine et il était sans doute mort depuis plusieurs heures.

Robert Dumont resta un moment sans bouger. Que devait-il faire? Prévenir les autorités policières? « Si je ne dis rien, possible que l'on ne découvre le corps que beaucoup plus tard, durant la journée. »

Il jeta un coup d'œil sur sa montre. Michel devait être à son appartement. Robert Dumont chercha le téléphone et trouva l'appareil dans la salle d'entrée de l'appartement. Avant de le prendre, il enroula un mouchoir autour du récepteur afin de ne pas y laisser d'empreintes. Il composa le numéro de téléphone de son jeune adjoint. Michel répondit presque aussitôt.

— Michel, tu étais debout?

— Oui, je finissais de déjeuner.

— Écoute-moi bien, et ne pose pas de questions. Viens me rejoindre tout de suite.

Il donna l'adresse.

— Je t'attendrai à l'extérieur de la maison d'appartements. N'y entre pas.

— Qu'est-ce qui se passe, boss?

— Je n'ai pas le temps de t'expliquer.

Il allait raccrocher lorsque soudain, il lui vint une idée.

— Tu as le numéro de téléphone de l'appartement de Candy?

— Oui.

— Si tu peux la rejoindre, amène-la avec toi. Nous ne serons pas trop de trois. Il va nous falloir agir rapidement. Autrement, je pourrais avoir des ennuis.

Et le Manchot raccrocha.

Il retourna dans le grand salon. Sur la table, au centre de la pièce, il y avait un cendrier et dans ce cendrier, trois bouts de cigarettes.

Sans leur toucher, Dumont les examina de près. C'étaient toutes des cigarettes de la même marque. Près de Gauvin, il y avait un paquet de cigarettes à moitié vide et un briquet. « Ce sont ses cigarettes. »

Non, l'assassin ne semblait pas avoir laissé de traces. Gauvin lui avait ouvert, les deux s'étaient dirigés vers le salon où le comptable était en train de regarder une émission de télévision.

Il y avait peut-être eu discussion, Dumont n'en savait rien. Mais l'assassin avait abattu froidement sa victime. Il était sorti, sans être inquiété mais il lui avait été impossible de fermer la porte à clef derrière lui.

Le Manchot jeta un coup d'œil sur sa montre. Michel ne saurait tarder, songea-t-il.

Le détective n'avait touché à rien... excepté à la poignée de la porte. Il sortit de l'appartement, essuya soigneusement la poignée et, pour éviter de se faire voir, il descendit par l'escalier de service au lieu d'emprunter l'ascenseur.

Une fois dans la rue, il se posta dans l'entrée d'une maison voisine. Quinze minutes s'écoulèrent. « Mais qu'est-ce qu'il fait ? »

Enfin, il vit apparaître la voiture de Michel. Candy était avec lui.

— Va stationner ta voiture dans le terrain et retrouvons-nous au restaurant, juste au coin. Je viens de faire une découverte... une macabre découverte.

*

* *

Le Manchot avait terminé son récit. Candy et Michel l'avaient écouté religieusement, sans l'interrompre une seule fois.

— Personne, à l'exception de l'assassin et de nous trois, ne sait que Gauvin a été tué. Nous avons donc une chance unique : interroger les suspects avant qu'ils n'apprennent ce qui s'est passé.

— Et ces suspects, ils ne sont pas nombreux, carabine !

— Quatre seulement. Remarquez qu'il peut y en avoir d'autres que je ne connais pas...

Le trio était installé à une table, tout au fond du restaurant, et on parlait à voix basse afin de ne pas attirer l'attention.

— Il y a tout d'abord Euclide Raymond...

— Ça, c'est le bonhomme qui empoisonne l'air des appartements? fit Candy.

— Oui. Ensuite, il y a Marianne Tanguay et son mari Bernard et, enfin, la jeune Lorraine. Il va falloir les interroger rapidement, leur demander leur emploi du temps. Je possède l'adresse d'Euclide Raymond, celle des Tanguay...

Robert Dumont se leva. Il y avait un téléphone, tout près du corridor menant aux toilettes.

— Je vais appeler Euclide et obtenir l'adresse de la jeune Lorraine Prince.

Michel jeta un coup d'œil sur sa montre.

— D'après moi, vous aurez de la difficulté s'il travaille. On est justement à l'heure où la plupart des gens sont en route.

— Je téléphone tout d'abord à son appartement et, s'il est absent, j'appellerai à la compagnie Prince.

Euclide n'était pas chez lui mais, heureusement, il venait tout juste d'arriver aux bureaux de la compagnie Prince.

— Je vais passer vous rendre visite, monsieur Euclide.

— Avez-vous rencontré ce salaud de Gauvin ?

— Je vous raconterai ça. Il y a une chose que je n'ai pas, c'est l'adresse de mademoiselle Prince.

— Lorraine ?

— Oui.

— Une seconde, je vais vous donner ça.

Lorsque le Manchot eut l'adresse, il retourna à la table et tendit le papier à Candy.

— Tu vas t'occuper d'elle. Toi, Michel, tu files chez les Tanguay. Moi, je vais voir Euclide. Je communiquerai avec toi chez les Tanguay.

— Et moi, qu'est-ce que je ferai lorsque la petite aura parlé ?

— Retourne au bureau.

— Écoutez, Robert, je suis pas millionnaire et je déteste voyager sur le pouce. Michel est venu me prendre à mon appartement, alors j'ai pas ma voiture...

Le Manchot lui tendit un billet de dix dollars.

— C'est suffisant !

— Inquiétez-vous pas. Si c'est pas assez, je vous le dirai.

Le trio sortit du restaurant.

— Patron, regardez, fit Michel.

Une voiture de la police venait de s'arrêter devant la maison où habitait Victor Gauvin.

— Oh non! Aurait-on déjà découvert le corps?

Un des policiers descendit de voiture et entra dans la bâtisse.

— Laissez-moi faire, dit Candy, je vais me renseigner. Les hommes, ça me connaît, je suis capable de leur délier la langue facilement.

Et elle traversa la rue en balançant les hanches, se dirigeant directement vers la voiture de policiers.

La conversation dura à peine deux minutes, puis Candy s'éloigna vers le terrain de stationnement.

— Viens, fit le Manchot, elle n'a pas voulu venir nous retrouver afin de ne pas attirer l'attention.

Ils rejoignirent Candy près de la voiture de Michel.

— Tu as eu le renseignement?

Candy esquissa un sourire.

— Facilement. Ce policier croyait que je voulais flirter avec lui. Je sais pas s'il s'agit du même appartement. Le policier m'a dit que c'est une vieille malcommode qui a téléphoné. Elle se plaint qu'un locataire fait jouer de la musique depuis très tôt ce matin et...

Le Manchot comprit:

— Le téléviseur!

Il expliqua aux deux autres:

— Hier soir, si l'assassin avait tourné le bouton, le silence aurait peut-être attiré l'attention. Idiot que j'ai été. J'aurais dû fermer l'appareil avant de partir. Nous aurions eu plus de temps devant nous. Faisons vite, avant que l'enquête ne débute officiellement, avant que la nouvelle de la mort de Gauvin se répande, nous avons peut-être une heure ou deux devant nous. Nous n'avons pas une seconde à perdre.

Chapitre IV

SUSPECTS SANS ALIBI

Lorsque le Manchot entra dans le bureau d'Euclide Raymond, le bonhomme pompait sa pipe avec énergie, tout en se promenant nerveusement.

— Enfin, vous voilà ! Non, mais voulez-vous me dire ce qui se passe ce matin ?

— C'est moi qui devrais vous poser la question.

— Le boss, monsieur Tanguay, n'est pas arrivé. Marianne, qui vient ici presque tous les jours, n'y est pas non plus. J'appelle à la maison, personne ne répond. Si vous ne m'aviez pas téléphoné, je serais déjà rendu chez les Tanguay.

Robert Dumont, contrairement à Euclide, était très calme. Il avait beau jeu ; il n'avait qu'à laisser parler l'homme à la pipe pour en apprendre plus qu'il ne l'aurait espéré.

— Voyons, monsieur Euclide, pourquoi vous seriez-vous rendu chez les Tanguay ce matin ? Quelque chose ne va pas ?

— C'est vous qui me demandez ça ? Tournevis, vous avez mis tellement de temps à me recevoir que madame Marianne a fait des bêtises.

— Comme quoi ?

— Elle a tout dit à sa petite sœur qui ne l'a pas crue. Gauvin avait pris ses précautions et avait même fait lire une lettre à Lorraine. Donc, il y a eu querelle entre les deux sœurs.

Le Manchot s'était assis, mais Euclide était toujours debout. Il s'arrêta brusquement et se pencha sur Dumont :

— Pas satisfaite de ça, elle a tout avoué à son mari.

— Et selon vous, elle a mal fait ?

— Mettez-vous à la place de monsieur Bernard. Il apprend que sa femme a été la maîtresse d'un autre homme. Plus que ça, elle lui dit qu'il existe des lettres d'amour, que ces petits mots doux ne possèdent aucune date, que

Gauvin veut encore faire une sorte de chantage. Ne seriez-vous pas porté à croire que votre femme vous monte un bateau, que votre femme a commis une faute en revoyant son ex-ami et qu'elle invente cette histoire de lettres non datées pour se tirer d'affaire?

— Qui vous a conté ça? demanda Dumont.

— Marianne elle-même, quand je l'ai appelée, hier soir. Elle était dans tous ses états, et même capable de commettre une bêtise.

— Vous auriez dû chercher à intervenir d'une façon ou d'une autre, aller la voir, ou encore entrer en communication avec moi.

— C'est facile à dire, ça. J'ai cherché à vous appeler, mais c'est une téléphoniste qui m'a demandé mon nom tout en me disant que vous ne me rappelleriez que ce matin. Donc, ça ne servait à rien!

— Alors, qu'avez-vous fait?

Euclide resta un moment sans parler. Il jouait nerveusement avec sa pipe.

— Bien, voyez-vous, je ne voulais pas vous mettre des bâtons dans les roues en allant voir Marianne. Je vous fais confiance, oui ou non! Et puis, elle m'a promis de se coucher tout de suite et de ne rien faire, absolument rien, avant d'avoir de vos nouvelles. Non, après y avoir bien pensé, le mieux, pour moi, c'était de me mêler de mes affaires.

— Donc, hier soir, vous êtes resté calmement chez vous ?

— Non, non, je suis sorti. J'étais trop inquiet pour demeurer en place.

— Où êtes-vous allé ?

— Chez les Tanguay !

— Mais, vous venez de me dire que...

— J'y suis allé, mais ne suis pas entré. J'ai fait le tour de la maison une couple de fois. Il y avait une veilleuse allumée dans la chambre de Marianne, mais pas d'autres lumières dans la maison. J'ai compris que Marianne m'avait obéi, qu'elle s'était couchée. Alors, j'ai attendu pour voir si monsieur Bernard rentrerait. Mais il faisait froid, il neigeait un peu ; alors, j'ai décidé de retourner chez moi.

— À quelle heure ?

— Oh, je ne sais pas au juste. Il devait être aux environs de minuit. Ce matin, je ne tenais plus en place. Heureusement que vous m'avez appelé. Est-ce que vous avez vu Gauvin ?

— Non !

— Mais, tout à l'heure, au téléphone...

— À huit heures, j'étais à l'appartement de Gauvin. Malheureusement, il ne semble pas y avoir passé la nuit. En tout cas, il n'y avait personne, mentit le Manchot. Je tenterai de le voir plus tard, dans la journée.

Le Manchot se leva.

— Voilà, je voulais vous tenir au courant des derniers événements. Dites-moi, monsieur Euclide, vous aimez bien Marianne?

— Oh oui!

— Et sa sœur?

— Lorraine, je la connais un peu moins, mais je les aime toutes les deux, comme si elles étaient mes propres enfants. Je ferais tout pour assurer leur bonheur.

— Mais voilà, il y a Gauvin qui se dresse sur cette route.

— Et comment! Si seulement on pouvait trouver un moyen de l'éliminer, celui-là, tout s'arrangerait comme par enchantement.

Le Manchot esquissa un sourire.

— On ne sait jamais, monsieur Euclide, on ne sait jamais. Quelqu'un a peut-être trouvé le moyen de réduire Gauvin à l'impuissance.

— Pourquoi dites-vous ça?

Sans répondre, le Manchot sortit lentement du bureau d'Euclide Raymond.

*

* *

Pour la troisième fois, Michel sonna à la porte de la riche demeure des Tanguay. « Ça sert à rien, y a personne. »

Près de la maison, il y avait un garage. La porte était ouverte et il n'y avait pas de voiture à l'intérieur. « Ils doivent être partis ensemble. »

Avant de s'éloigner, Michel jeta un coup d'œil sur la maison et c'est alors qu'il vit bouger un rideau à l'étage. « Ah ! mais il y a quelqu'un, on me surveille de cette fenêtre. » Il retourna à la porte et laissa son doigt appuyé sur la sonnette.

— Sacrament ! murmura-t-il. Je vais sonner tellement longtemps qu'ils vont finir par ouvrir pour se débarrasser de moi.

Michel avait vu juste. Quelqu'un venait, il entendit la porte du vestibule s'ouvrir.

— Oui, qu'est-ce que c'est ? demanda dans l'intercom une faible voix de femme.

— Madame Tanguay ?

Sans attendre la réponse, Michel ajouta :

— Je suis l'adjoint de Robert Dumont, le détective manchot.

— Ah ! Une seconde, je vais ouvrir.

Une seconde plus tard, Marianne Tanguay, qui avait eu toutes les difficultés à se rendre jusqu'à la porte, lui tombait dans les bras, les cheveux défaits, très pâle, les yeux cernés.

— Carabine ! Qu'est-ce qu'elle a ?

Michel la souleva et entra dans la maison. Le salon était à deux pas. Il étendit la femme sur le divan. Marianne n'était revêtue que d'un baby-doll, elle n'avait même pas pris la peine de passer un déshabillé.

Michel, rapidement, se rendit dans la cuisine. Il prit une serviette, fit couler l'eau froide et revint avec le linge mouillé qu'il appliqua sur le front de Marianne.

Au bout de quelques instants, la jeune femme ouvrit les yeux. Elle regarda autour d'elle, comme si elle sortait d'un mauvais rêve. Soudain, elle aperçut Michel Beaulac et se redressa brusquement.

— Qui êtes-vous? Qu'est-ce que vous me voulez?

— Du calme, madame, du calme. Je suis Michel Beaulac. Vous m'avez ouvert, il y a quelques instants. Je suis l'adjoint du détective Robert Dumont.

Marianne murmura:

— Oui... la sonnerie... la porte... me suis levée... et...

Elle retomba sur le divan. Michel regarda autour de lui, appela, mais personne ne répondit. Il se précipita dans l'escalier menant à l'étage et entra dans la chambre à coucher du couple Tanguay. Le lit n'était pas défait, mais on pouvait se rendre compte que quelqu'un s'y était couché. Les vêtements de Marianne étaient épars sur un fauteuil et sur le tapis. Sur la table de chevet, un verre d'eau avait été renversé et, près de ce verre, un tube qui avait contenu des pilules.

— Séconal!

Michel venait de comprendre. Le téléphone était là, à la portée de sa main. Il décrocha et il appela la police. « Le boss aimera peut-être pas ça, carabine, mais moi, je veux pas qu'elle me meure dans les bras. »

Le jeune détective privé demanda qu'on envoie une ambulance au plus tôt.

— Je suis Michel Beaulac, l'assistant du détective privé, le Manchot. Une cliente a tenté de se suicider en avalant des séconals. Elle est pas en danger car elle reprend conscience de temps à autre, mais vaut mieux pas prendre de chances.

— Nous envoyons quelqu'un tout de suite, monsieur.

Michel raccrocha, descendit rapidement l'escalier, sortit de la maison et courut à la voiture. Il mit immédiatement son poste émetteur en marche.

— Michel appelle le Manchot ! Michel appelle le Manchot, répondez, Manchot !

Mais il ne reçut aucune réponse de son chef : celui-ci n'était manifestement pas dans sa voiture.

— Le téléphone... oui, c'est le seul moyen.

La voiture de Michel, tout comme celle du Manchot, était munie d'un appareil téléphonique. Quelques secondes plus tard, il avait la secrétaire, Rita, au bout du fil.

— Ici Michel. Essayez de rejoindre monsieur Dumont par son « Bell-boy ». Qu'il me téléphone chez les Tanguay tout de suite. Si je ne suis pas là, je serai à l'hôpital le plus rapproché. Dites-lui que Marianne Tanguay a tenté de se suicider, mais qu'elle semble hors de danger. J'ai prévenu la police. Vous avez bien le message, Rita?

— Oui, monsieur Michel, je m'en occupe immédiatement.

Le jeune détective raccrocha, puis retourna vers la maison pour y attendre l'arrivée de la police. Mais, chemin faisant, il songea : « Quand a-t-elle pris ces pilules? Aurait-elle assassiné Gauvin puis, prise de remords, se serait suicidée? Tout est possible. »

*

* *

Candy s'impatientait. C'était la troisième fois qu'elle sonnait à l'appartement de Lorraine, mais personne ne répondait.

Soudain, une grosse femme parut dans l'entrée. Elle portait un seau et une vadrouille. Elle jeta un coup d'œil à Candy, puis :

— Je suppose que c'est un homme que vous cherchez?

— Non, madame, c'est une demoiselle.

— Oui, j'connais ça, des filles dans votre genre... Non seulement j'connais ça, mais j'endure pas ça dans la maison.

Candy faillit se fâcher, mais elle prit une grande respiration et réussit à demander calmement :

— Vous êtes la concierge?

— Oui. Je gagne ma vie à la sueur de mon front, moi !

La grosse fille blonde, d'un geste rapide, arracha le seau d'eau à la femme.

— Tu fais mieux de surveiller tes paroles, la mère, autrement, tu vas prendre une douche que t'aimeras pas. Tiens, tu connais ça une carte? Je me demande si tu sais lire !

Candy lui appliqua devant les yeux sa nouvelle carte de détective privé. On y voyait en grosses lettres, le mot « détective ».

— Je suppose que vous ne saviez pas qu'il y avait des femmes dans la police?

La concierge bégaya :

— Vous... vous êtes de la police? J'savais pas... excusez-moi.

— Je pourrais vous accuser d'avoir nui à mon travail et même de m'avoir insultée. Ça pourrait vous coûter cher.

— C'est pas ma faute. Moi, je tiens une maison bien. Je laisse pas entrer n'importe qui. Vous auriez dû le dire plus tôt, que vous étiez de la police.

— M'en avez-vous laissé la chance?

Et avant qu'elle ait eu le temps de répondre, elle demanda :

— Vous connaissez Lorraine Prince?

— C'est elle que vous êtes venue voir?

— C'est moi qui pose les questions. Lorraine Prince est-elle une de vos locataires?

— Oui, mais elle est sûrement pas chez elle. Je l'aurais probablement entendue entrer.

Des locataires sortaient de la maison, d'autres y entraient et Candy ne pouvait faire autrement que d'attirer l'attention. Alors, elle proposa à la concierge:

— Si on continuait notre conversation dans votre loge?

— Ma loge? Me prenez-vous pour une vedette de cinéma, vous? Tout ce que j'ai, c'est un petit trois pièces et c'est grand comme ma main.

La concierge reprit son seau.

— Venez, dit-elle, c'est la porte, juste de l'autre côté.

Candy venait à peine de refermer la porte derrière elle, que la concierge déposa son seau, sa vadrouille et se mit à parler comme si rien ne pouvait plus l'arrêter.

— Mademoiselle Prince... si je la connais. C'est la locataire qui paie le mieux. C'est facile quand on en a de collé, pas vrai? Mais, je vous le dis, si elle payait pas si bien, je l'aurais pas gardée. Oh, quand elle sortait avec son petit jeune, monsieur Lionel, j'disais rien, même si des fois y passait pas mal de temps dans la chambre de la petite... Puis, en plus, c'était pas le genre de garçons qui fréquentent la maison.

— Comment ça? réussit à placer Candy, pendant que la concierge faisait une seconde d'arrêt pour reprendre son souffle.

— Cheveux longs, chandail sale, les jeans, la barbe... le genre drogué, vous devez connaître ça, puisque vous êtes dans la police. Mais y faisait pas de tapage. Alors, je fermais les yeux comme si je voyais rien. Puis, ensuite, y a eu l'autre, un type plus âgé qui aurait pu servir de père à la petite.

— Monsieur Victor?

— Ah, je vois que vous le connaissez. Là, j'ai moins aimé ça, d'autant plus qu'à compter de ce moment-là, le Lionel revenait et se chicanait souvent avec la petite. Moi, je savais plus quoi faire. Mettre ma meilleure locataire à la porte, celle qui paie le mieux et qui donne le plus de pourboires, ou risquer de perdre d'autres chambreurs qui souvent paient très mal. Mettez-vous à ma place, c'est une grave décision à prendre.

Enfin, elle s'arrêta. Candy avait écouté avec attention afin de retenir l'essentiel du long monologue.

— Revenons à hier soir. Vous dites que la petite n'a pas passé la nuit ici?

— Y a dû se passer des choses, hier, mais je sais pas quoi. J'écoute pas aux portes, moi ; ça m'arrive d'entendre quand ça parle fort, mais c'est pas de ma faute. Je suis pas le genre commère et si j'entends des choses, je garde ça pour moi.

— Que s'est-il passé hier soir ?

— J'ai entendu la petite rentrer, au début de la soirée. Elle semblait pas de bonne humeur. Ça bardassait dans son appartement. Puis, elle a reçu un visiteur. Celui-là, je le connais pas. Un peu plus tard, qui c'est que je vois arriver ? Le Lionel, toujours aussi sale, toujours en jeans... là, les trois ont discuté assez longtemps, puis ils sont sortis.

— Ensemble ?

— Écoutez, moi, je suis pas payée pour surveiller ceux qui logent ici. Je sais pas s'ils sont sortis ensemble, mais par ma fenêtre qui donne sur la rue, j'ai vu l'inconnu monter dans une belle voiture, puis la petite, dans le citron de Lionel. Ils sont partis et je serais bien surprise si la petite était revenue. Je l'aurais sûrement entendue. Je dors seulement d'une oreille, et elle est très sensible au moindre bruit.

Enfin, elle semblait avoir terminé.

— Vous pouvez pas me dire où demeure ce Lionel ?

— Je sais pas moi. Mais si ça peut vous aider, j'peux vous donner son numéro de téléphone. Quand mademoiselle Lorraine est pas là, ou encore qu'elle refuse de répondre, Lionel appelait au téléphone du corridor. Il me disait toujours la même chose, de demander à mademoiselle Lorraine de le rappeler.

— Et vous avez ce numéro?

— Certainement, venez avec moi.

Et elle sortit de son appartement.

— Le numéro est écrit là, sur le mur, juste à côté du téléphone.

Mais il y en avait sûrement une dizaine.

— Lequel est-ce?

— Une seconde, j'vas chercher mes lunettes, ça sera pas long.

Quelques instants plus tard, elle examina le mur, puis montra un numéro.

— Je l'ai. C'est celui-là, vous voyez? Devant le numéro, j'ai mis deux L. Ça veut dire Lionel, pour Lorraine. J'ai mon système et je me comprends.

Candy nota le numéro et remercia la concierge. Une fois sortie de la maison, la jolie blonde se mit à réfléchir. « Si la concierge dit vrai, la jeune Lorraine et son premier amoureux sont demeurés ensemble: donc, c'est un alibi, sans en être un. Quant à l'autre visiteur, la belle voiture, ce doit être le mari de madame Tanguay. C'est normal. Après la nouvelle qu'il a apprise, il a sans doute voulu en discuter avec Lorraine. Mais il est parti seul. Donc, lui non plus n'a pas d'alibi. »

Candy ignorait que jusqu'à présent, tous ceux qui pouvaient être considérés comme suspects n'avaient pas d'alibi. « Qu'est-ce que je dois faire, maitenant ? Continuer à rechercher la petite en enquêtant sur ce numéro de téléphone ? »

Cependant, elle se rappelait les paroles du Manchot. Il lui avait dit de se rendre chez Lorraine, puis de retourner au bureau. « Mais qu'est-ce que je ferai là-bas ? Attendre... attendre... oh non ! Il y a trop à faire. Robert aimerait sûrement savoir ce qu'ont découvert les policiers à l'appartement de Victor Gauvin, où ils en sont rendus dans leur enquête. Ni Michel, ni monsieur Robert ne peuvent aller se mettre le nez là, sans s'attirer des ennuis. Ils sont trop connus des policiers. Moi, c'est différent. »

Il y avait un restaurant, juste en face. Elle téléphona au bureau et fit un rapide rapport à Rita.

— Maintenant, regardez dans le « red book » de la compagnie de téléphone. Vous trouverez l'adresse de cet abonné, Lionel. Donnez ces informations à monsieur Dumont lorsqu'il vous appellera ; ça l'intéressera sûrement. Vous lui direz que moi, je me rends chez Gauvin.

J'essaierai de savoir ce que la police a découvert.

Candy sortit du restaurant pour héler un taxi. Elle ne se rendait pas compte que, de sa fenêtre, la concierge de Lorraine surveillait ses moindres gestes.

Chapitre V

UN MARI REPENTANT

Le Manchot allait sortir de l'édifice qui abritait les bureaux de la compagnie Prince, lorsqu'un homme y entra. Il entendit une sécrétaire saluer le nouvel arrivant :

— Bonjour, monsieur Tanguay.

L'homme ne répondit pas et le Manchot entendit une porte se refermer. Le détective se dirigea immédiatement vers la secrétaire.

— C'est monsieur Tanguay qui vient d'entrer ?

— Oui.

— Je voudrais le voir et c'est urgent, mademoiselle. Mon nom est Robert Dumont.

— Un instant, je vais voir s'il peut vous recevoir, fit-elle en se levant.

Quelques secondes plus tard, le détective entendait nettement la voix du grand patron qui disait :

— Je ne veux voir personne, je ne veux pas être dérangé, vous avez compris ?

— Oui, monsieur.

Le Manchot fit signe à la secrétaire, qui sortait du bureau.

— Un instant. Dites-lui que je suis détective privé, que monsieur Raymond a retenu mes services pour m'occuper de l'affaire Gauvin.

La jeune fille transmit le message, mais Tanguay cria :

— Vous êtes sourde, ou quoi ? Je viens de vous dire que je ne veux voir personne, même si c'était le pape.

— C'est inutile, monsieur, fit la secrétaire, vous voyez que j'ai fait l'impossible.

— Dites-moi... Souvent, les patrons ont deux appareils de téléphone dans leur bureau, dont un possède un numéro privé. Est-ce le cas de monsieur Tanguay ?

— Oui. Mais je n'ai pas le droit de vous donner ce numéro.

— Écoutez, mademoiselle, je dois lui parler. Il s'agit d'une question de vie ou de mort. Préférez-vous que la police officielle s'en occupe ?

Elle hésita, puis :

— S'il vous questionne, puisque vous avez vu monsieur Raymond, dites que c'est lui qui vous a donné le numéro.

— Bien.

— Vous pouvez vous servir de l'appareil sur la table du coin. Composez le numéro 9 pour obtenir une ligne.

Quelques instants plus tard, le téléphone sonnait dans le bureau de Bernard Tanguay.

— Tanguay, ne raccrochez pas, dit calmement le Manchot dès qu'on eut décroché. J'ai eu votre numéro par monsieur Raymond. Je suis le détective privé que votre femme a engagé dans l'affaire Gauvin. Vous devez vous souvenir de moi. Je suis le Manchot. J'ai enquêté, il y a deux ans, sur les détournements...

— Ça ne m'intéresse pas, monsieur, fit sèchement Tanguay.

Le Manchot décida alors de lâcher une partie du morceau. Mais il choisit bien chacun de ses mots.

— J'ai une nouvelle très importante à vous apprendre. Une nouvelle qui peut tout changer... Victor Gauvin est mort.

Il y eut un long silence.

— Où êtes-vous ? fit enfin l'homme d'affaires, d'une voix complètement changée.

— Dans votre salle d'attente.

— Venez dans mon bureau. Je vais prévenir ma secrétaire.

Lorsque le détective entra dans le bureau de Bernard Tanguay, le jeune homme était assis derrière son énorme bureau de président. Il avait la tête entre les mains et il leva à peine les yeux lorsque le Manchot s'avança.

— Non, ce n'est pas possible, murmura-t-il. Gauvin mort ! Je ne vous crois pas. Vous venez d'inventer cette histoire pour me forcer à vous recevoir. L'avez-vous mise au courant ?

— Qui ?

— Marianne. Vous l'avez vue, vous savez où elle est ?

Le Manchot se planta devant le jeune homme.

— Écoutez, Tanguay, j'ai été engagé pour venir en aide à votre épouse. Ne renversons pas les rôles. C'est moi qui vais poser les questions. Vous avez eu une conversation avec votre épouse hier soir ? Vous vous êtes querellés ?

— Oui, fit-il, brusquement décidé à tout avouer. Marianne m'a dit avoir parlé à Lorraine. Et ce n'est pas tout. Elle m'a déclaré que Lorraine était amoureuse de Gauvin. Marianne voulait empêcher ce mariage à tout prix. Gauvin n'est qu'un scélérat. Mais j'avais bu et, quand Marianne m'a parlé des lettres d'amour non datées, je n'ai pas cru à son histoire. J'avais bu. Je me suis emporté et je suis parti.

Mais, une fois seul, au volant de ma voiture, je me suis mis à réfléchir. Je me souvenais de ce qui s'était passé il y a deux ans. Je savais que Gauvin avait fait des détournements de fonds. Oui, j'ai compris que Marianne pouvait avoir dit la vérité. Mais il y avait les lettres d'amour. Soudain, je me souvins qu'elle m'avait dit que Lorraine avait vu une de ces lettres, que c'est Gauvin qui la lui avait montrée. Alors, j'ai décidé de me rendre à l'appartement de ma belle-sœur.

Le Manchot avait sorti son carnet et prenait des notes.

— Lorraine était là?

— Oui. Au début, elle ne voulait rien entendre. Elle était enragée contre sa sœur, qu'elle traitait de jalouse... enfin, vous devez deviner la scène.

— Oui.

— Pourtant, j'ai réussi à la calmer et à lui parler de la fameuse lettre qu'elle aurait lue. « Comment, si je l'ai lue! Elle ne pouvait être plus claire. Marianne disait qu'elle n'était heureuse que lorsqu'elle lui appartenait. Que voulez-vous de plus? » J'ai alors demandé à Lorraine quand Marianne avait écrit cette lettre? Évidemment, elle ne le savait pas. Mais ça ne devait pas faire longtemps, m'avoua-t-elle. Alors, j'ai insisté, je lui ai demandé si elle avait regardé la date et alors, Lorraine s'est souvenu. La lettre n'était pas datée.

— Vous veniez de comprendre que votre femme avait dit la vérité...

— Oui. Alors, je contai à Lorraine l'histoire des détournements de fonds. Je lui ai dit que Gauvin n'était qu'une crapule, qu'il avait déjà fait la cour à Marianne, que tout ce qui intéressait cet homme, c'était l'argent.

Tanguay se leva. Il sortit un paquet de cigarettes de sa poche, en offrit une au Manchot qui la refusa d'un signe de tête. Lorsqu'il s'alluma avec son briquet, Dumont remarqua que les mains du jeune homme tremblaient légèrement. Tout de même, il paraissait moins abattu que lors de l'arrivée du détective.

— Lorraine a tout d'abord fait une crise ; puis nous avons pu causer plus calmement. Nous n'en étions pas persuadés tout à fait, mais il était possible que Marianne ait dit la vérité. Si c'était le cas, notre conduite était odieuse. On avait accusé ma femme injustement. Je craignais le pire, vu que Marianne souffre de dépression. Alors, j'ai appelé à la maison mais personne n'a répondu. J'étais follement inquiet.

— Pourquoi n'êtes-vous pas rentré chez vous, dans ce cas ?

— C'est ce que je voulais faire, mais Lorraine était si nerveuse... Elle pleurait sans arrêt, elle ne voulait pas voir sa sœur, elle ne voulait pas rester seule. Alors, nous avons pensé à Lionel.

Puis, il raconta que Lionel Riendeau était amoureux de Lorraine.

— Mais ce n'est pas du tout son genre. Lorraine a été élevée chez les religieuses, elle a reçu une très bonne éducation, elle est riche... du moins, elle le sera un jour. Lionel, c'est exactement le contraire: cheveux gras, jeans sales, fume du pot et conteste tout. La plupart du temps, il ne sait pas pourquoi, mais il conteste. Il suit tous les mouvements le moindrement révolutionnaires, il part en croisade et même en guerre contre tout ce qui le dérange. Une chose est certaine, il est en guerre contre l'eau, le savon et les débarbouillettes.

Le Manchot ne put s'empêcher de remarquer, avec un sourire.

— Vous ne semblez pas l'aimer.

— Je ne le déteste pas. C'est ce qu'on peut appeler un bon diable... mais un diable quand même. Avouez que je ne vois pas un type comme ça, entrer dans la famille des Prince.

— Il est quand même mieux que Gauvin.

— Pour ça, oui, et Lorraine l'a compris. Elle s'est donc réfugiée chez Lionel; du moins, c'est ce que je crois. Je n'ai pas eu de ses nouvelles depuis.

Robert Dumont continuait toujours à noter la déposition du mari de la jolie Marianne.

Tanguay s'était tu, il semblait avoir terminé son récit. Le Manchot murmura à voix basse, comme s'il se parlait à lui-même.

— Lorraine apprend que Gauvin l'a trompée. Elle le dit à Lionel. Ces jeunes, souvent, sont capables des pires bêtises. Ils sont trop impulsifs. Quant à leur alibi, ils diront qu'ils étaient ensemble...

Le détective se leva, se promena quelques instants dans la pièce, sans rien dire, puis brusquement il s'arrêta devant Tanguay.

— Vous êtes presque certain d'avoir mal jugé votre femme et d'avoir porté de fausses accusations. Vous savez qu'elle est dépressive. Vous êtes repentant et vous aimez Marianne. Il me semble qu'un mari qui regrette s'empresse d'aller demander pardon.

— Vous avez entièrement raison. C'est ce que j'ai voulu faire, je me suis rendu à la maison et j'ai failli arriver face à face avec Euclide.

— Qu'est-ce qu'il faisait là?

— Il semblait surveiller la maison. Il ne bougeait pas. Il y avait de la lumière dans la chambre de ma femme. Alors, j'ai deviné ce qui avait pu se passer. Vous savez, Euclide aime Marianne comme sa fille. Ça ne paraît peut-être pas, mais il est violent, je l'ai déjà vu s'emporter contre des employés. Il aime à dire que lui, sa vie est terminée, que tout ce qu'il veut, c'est de voir les autres heureux... Alors, j'ai eu peur.

— Peur de ce vieux bonhomme? Peur qu'il ne vous attaque avec sa pipe? Allons donc.

Tanguay n'avait pas du tout l'intention de blaguer.

— Euclide pouvait être armé. Je sais qu'il a un permis de port d'arme, qu'il garde cette arme au bureau... En tout cas, je n'ai pas osé entrer. J'ai attendu et, au bout d'un certain temps, le vieux est parti.

Cette partie du récit coïncidait avec les propos d'Euclide Raymond.

— J'ai alors décidé d'entrer, continua Tanguay. Je croyais trouver Marianne dans sa chambre, mais elle n'y était pas. Il n'y avait personne dans la maison. Je ne savais plus que penser puis, au bout d'un moment, j'ai tiré mes conclusions.

— Lesquelles?

— Après mon départ, Euclide est venu retrouver Marianne. La voyant dans tous ses états, il a dû la conduire chez lui. Puis il est revenu ici pour m'attendre, peut-être pour venger celle qu'il aime tant. Alors, j'ai décidé de ne pas rester dans la maison. Je suis retourné à ma voiture. Je suis allé me stationner de l'autre côté du parc. De là, je vois la maison. J'étais épuisé, j'avais passé la journée en plein air. Je me suis endormi. Quand je me suis réveillé, je suis allé dans un restaurant, j'ai déjeuné et voilà, je viens tout juste d'arriver.

— Vous n'avez pas songé à retourner à la maison, à apprendre si votre femme était rentrée ?

— Non, je n'avais qu'une idée : questionner Euclide. Malheureusement, je n'ai pas encore pu le faire parce que vous êtes arrivé. Je sens qu'il se passe quelque chose. Vous avez déclaré, au téléphone, que Gauvin était mort. Je ne vous ai pas cru. Maintenant, vous faites mieux de me dire toute la vérité, monsieur Dumont.

« Au fond, songea le Manchot, il a raison. Il est temps que quelqu'un apprenne réellement ce qui s'est passé. D'ailleurs, la police doit sûrement avoir découvert le corps de Gauvin. »

Tanguay se leva et se planta devant le détective.

— Je veux savoir. Il est arrivé quelque chose à Marianne, n'est-ce pas ? Parlez, parce que sans ça...

Et Bernard voulut le menacer de son poing. Lentement, calmement, le Manchot lui saisit le poignet avec sa main gauche et l'immobilisa.

— Calmez-vous, Tanguay, je vais tout vous dire.

Le jeune homme dégagea enfin son poignet. Il avait grimacé en sentant la poigne de fer de ce membre artificiel. Il regarda le Manchot avec des yeux ébahis.

— J'ignorais que... votre main...

— Oui, on tente souvent de me menacer. On se sent courageux quand on est en face d'un handicapé. On croit qu'il est incapable de se défendre. Pourtant, je n'ai presque pas appliqué de pression.

— Je m'excuse. Mais je suis tellement inquiet...

— Je vous ai dit la vérité, lança le Manchot. Gauvin est mort... mais il a été assassiné.

Tanguay ouvrit la bouche, mais aucun son ne sortit. Ses yeux étaient devenus très ronds, ses mains tremblaient. Brusquement, il les porta à sa figure, se frotta énergiquement la face, comme pour se réveiller, puis il se laissa tomber dans son fauteuil.

— C'est pas possible! Mais qui? Qui?

— C'est ce que je cherche. Présentement, les policiers sont chez Gauvin. D'ici quelques minutes, il se peut qu'on vienne vous interroger.

Bernard Tanguay paraissait ne pas l'écouter.

— Non, non, je ne peux pas le croire... Elle n'a pas fait ça! Elle n'est pas responsable. Marianne est malade...

— Vous semblez persuadé que c'est votre femme qui a commis ce meurtre?

Tanguay leva enfin les yeux et regarda le Manchot.

— Ce n'est pas elle?

— Je l'ignore. Ce peut être Euclide. Ce peut

être Lorraine ou son ami. Ce peut être le fameux Inconnu, celui que nous ne connaissons pas encore. Enfin, ce peut être vous !

— Moi ?

Tanguay se leva brusquement.

— Vous êtes fou ? Vous ne savez pas ce que vous dites. J'ai passé la nuit dans ma voiture. Je vous ai donné mon emploi du temps et...

— Et je ne puis vérifier votre alibi. Vous avez compris que vous aviez mal jugé votre femme, que Gauvin risquait de causer un scandale, de détruire votre ménage. Alors, c'est tout naturel que vous ayez pensé à le supprimer.

— Mais c'est ridicule, cria Bernard. Je ne suis quand même pas un idiot, monsieur Dumont. Avant cette dernière histoire, je rencontrais parfois Gauvin dans des clubs, des dîners. Tenez, je vais vous donner un exemple : je sais que c'est un amateur de chasse, alors j'aurais pu l'amener à la chasse et provoquer un accident. Comment Gauvin a-t-il été tué ?

— Par une balle. Probablement un revolver.

— Je n'en ai même pas, lança Tanguay en se frappant dans les mains. Je possède un fusil de chasse, mais pas de revolver. En quittant la maison, comme un fou, je me serais rendu chez lui, au risque de me faire voir par les voisins ? Allons donc ! J'aurais plutôt pris un rendez-vous avec lui, dans un endroit désert. J'aurais pu l'assommer, puis simuler un accident de voiture... enfin, je ne sais pas, moi. Il y a mille façons de tuer quelqu'un.

— Quand on est en colère, répliqua le Manchot, on n'a souvent pas le temps de réfléchir.

— Moi, je le prends. Ce matin, en arrivant ici, j'aurais pu me précipiter au bureau d'Euclide. J'ai voulu réfléchir quelques minutes avant de lui parler. Enfin, j'aime ma femme. Marianne est tout pour moi. Et j'aurais tué Gauvin tout en sachant que c'est sur elle que retomberaient les soupçons ? Oh non, Dumont, vous me connaissez très mal. Oui, j'ai pensé à tuer Gauvin, je l'avoue. Seul, la nuit dernière, au volant de ma voiture, je réfléchissais. Mais j'aurais trouvé une façon plus habile, plus raffinée. Je n'aurais pas fait la bêtise de me rendre à son appartement, je n'aurais pas fait la bêtise de risquer de me faire voir, je n'aurais pas fait la bêtise de laisser la télévision ouverte, je n'aurais pas fait la bêtise de me servir d'un revolver alors que je sais que ma femme en possède un.

Le Manchot sursauta.

— Qu'est-ce que vous dites? Votre femme possède un revolver?

— Oui.

Le Manchot s'approcha du bureau et décrocha le récepteur du téléphone.

— Vous permettez?

— Certainement.

Le détective se mit en communication avec Rita, sa secrétaire.

— Avez-vous des nouvelles de Michel ?

— Oui, monsieur Dumont. Il vous fait dire de le rappeler chez les Tanguay et, s'il n'est pas là, il sera à l'hôpital.

— L'hôpital ?

— Oui. Il a ajouté que madame Tanguay avait tenté de se suicider, mais qu'elle semblait hors de danger. Il attendait l'arrivée de la police. Il doit être à l'hôpital, car ça fait déjà un bon moment qu'il a téléphoné.

— Merci, Rita. Au fait, avez-vous eu des nouvelles de Candy ?

— Oui. Elle a vu mademoiselle Lorraine et elle continue son enquête. Elle m'a fait chercher un nom dans le « red book ». Elle possédait le numéro de téléphone. Il s'agit d'un monsieur Grégoire Riendeau. Je ne sais pas si c'est ce qu'elle désirait car elle a mentionné le prénom de Lionel.

Le Manchot écouta le rapport que Candy avait fait à la secrétaire.

— Je vous rappellerai, Rita. Michel n'a pas donné le nom de l'hôpital ?

— Non, mais il va sûrement me téléphoner. Où puis-je vous joindre ?

— Inutile, je vais appeler la police. Merci.

Tanguay se demandait ce qui se passait.

— Qui est à l'hôpital ? Il est arrivé autre chose ?

— J'ai l'impression que mon enquête va se terminer rapidement. Sans le savoir, monsieur Tanguay, vous aviez sans doute raison. Votre femme a probablement tué son ex-amant et elle a tenté de se suicider. Ne craignez rien, selon mon assistant, elle est hors de danger.

Bernard Tanguay se prit la tête à deux mains.

— C'est ma faute... ma faute. Pourquoi ne lui ai-je pas fait confiance ? Pourquoi ? Je l'ai poussée à bout. C'est moi, moi, le responsable !

Chapitre VI

L'ARME DU CRIME

Candy descendit du taxi. Plusieurs voitures du service de la police étaient stationnées devant la maison de rapport où demeurait Gauvin.

Quelques badauds entouraient les deux policiers qui montaient la garde et cherchaient à savoir ce qui était arrivé.

— Qu'est-ce qui se passe ? demanda la grosse fille à un des policiers.

— Circulez, circulez, restez pas ici, fit l'agent en posant la main sur le bras de la fille.

— Hé, dis donc, tu sais pas à qui tu as affaire? Tu dois être nouveau dans la police, toi. D'ailleurs tu es tout jeune. Un policier qui a encore la couche aux fesses.

Elle éclata de rire, puis ajouta:

— Mais tu es beau garçon et tu me plais.

— Allez donc vous dessoûler chez vous, fit brusquement l'agent.

— Sois poli, veux-tu? Je suis journaliste, mon jeune. On m'a dit qu'il s'était commis un meurtre ici.

Le policier parut surpris:

— Comment avez-vous appris ça?

— J'ai des amis qui me renseignent. Toi même, si nous étions... disons, très intimes, tu me transmettrais pas des petites informations? Allons, sois gentil et laisse-moi entrer.

Et avant que le policier puisse répondre, elle demanda:

— Je suppose que c'est cet énergumène de Bernier qui est en charge?

Candy savait que l'inspecteur Bernier dirigeait l'escouade des homicides de la police municipale, qu'il avait un caractère excécrable et qu'il était en partie responsable de la démission de Robert Dumont.

— Vous le connaissez?

— Et comment, si je le connais. Il déteste autant les femmes qu'il hait ses adjoints. C'est pas peu dire.

— L'inspecteur est au bureau. C'est le détective Sirois qui est en charge.

— Connais pas. Beau garçon ?

L'agent haussa les épaules et ne répondit pas. Candy lui lança un de ses sourires les plus aguichants.

— Alors, tu me laisses passer ?

— Si c'était rien que de moi, oui. Mais j'ai reçu des ordres sévères et... je suis pas seul à décider. On est deux, ici, à garder l'entrée.

Il y a des journalistes à l'intérieur ?

— Non, vous êtes la première.

Juste à ce moment, des détectives entrèrent précipitamment dans la bâtisse. Les trois hommes semblaient avoir fait une découverte importante.

— Quel est ton prénom ? demanda Candy au policier en uniforme.

— Jean-Louis.

— Mon beau Jean-Louis, tu devrais chercher à savoir ce qui se passe et me le rapporter. Tu le regretteras pas.

Et le sourire qu'elle lui décocha était rempli de promesses. Tout en fixant le jeune policier dans les yeux, Candy promena langoureusement sa langue sur ses lèvres charnues.

— Bon, je vais essayer, mais bougez pas d'ici.

Le policier lança à son confrère.

— Surveille tout le monde. Je vais voir ce qui se passe.

Jean-Louis ne fut absent qu'une couple de minutes.

— Les détectives ont interrogé les voisins, ils ont fouillé les environs et on a trouvé l'arme du crime.

— À quel endroit ?

— Dans un terrain vacant, à deux pas d'ici. Je sais pas si c'est vraiment le revolver qui a servi à tuer. J'ai pas posé de questions. Mais il semble que oui.

Candy demanda :

— Tu as vu l'arme ? Quelle sorte de revolver ?

— Je l'ignore. Je l'ai vu, il n'est pas gros, un petit pistolet nickelé, vous savez, ce genre d'arme qui se glisse facilement dans un sac à main.

— Un pistolet de femme ?

— Probable.

Candy venait d'obtenir une importante information. Elle se devait de la communiquer au Manchot. Elle allait s'éloigner, mais Jean-Louis la rappela :

— Hé, j'ai pas ton numéro de téléphone et...

— Crains rien, mon beau, moi, je saurai te rejoindre. Constable Jean-Louis, matricule 2789. Tu vois que je remarque tout ce qui m'intéresse.

Déjà, elle traversait la rue et retournait au

restaurant où elle avait déjeuné en compagnie de ses deux partenaires. Elle appela au bureau.

— Rita, c'est Candy. Avez-vous des nouvelles de monsieur Dumont?

— Oui et je lui ai lu votre rapport. Présentement, il est à l'hôpital Royal Victoria.

Candy sursauta:

— Il est blessé?

— Pas lui. Une dame Tanguay. C'est Michel qui l'a fait transporter à l'hôpital. Monsieur Dumont m'a appelée deux fois, la seconde fois pour me dire qu'il serait au Royal Vic pour un bon moment. Nous pouvons le joindre là.

— Merci, Rita.

Candy raccrocha. Elle s'engouffra dans un taxi et ordonna au chauffeur:

— À l'hôpital Royal Victoria et en vitesse.

La circulation était dense et la voiture avançait comme une tortue, mettant à l'épreuve la patience de la statuesque blonde.

— Écoute, chauffeur, mon rendez-vous à l'hôpital, c'est pas pour demain. Je suis en retard.

— C'est pas un avion que je conduis, c'est un taxi.

— Tant pis, je me sens pas bien du tout. Si je meurs dans ton bazou, tes ennuis seront loin d'être terminés.

Une seconde plus tard, Candy poussait un gémissement.

— Qu'est-ce que vous avez?

— Occupez-vous pas de moi, dit-elle d'une voix haletante. Quand ça me prend, je perds pas toujours connaissance. C'est seulement le début de l'attaque... Ordinairement, avant que je tombe dans les pommes, ça prend une quinzaine de minutes.

Ce fut magique. Appuyant sur son klaxon, se faufilant entre les voitures au risque de causer des accrochages, le chauffeur entreprit une course contre la montre. Il brûla même trois feux jaunes qui passaient au rouge, se contentant de ralentir aux stops et subissant sans sourciller les engueulades des autres conducteurs.

Enfin, la voiture s'arrêta devant l'hôpital Royal Victoria. Inquiet, le chauffeur se retourna vers sa cliente.

— Comment vous sentez-vous?

— En pleine forme! Merci pour la course, c'est du beau travail.

Et elle lui donna un généreux pourboire. Le conducteur la regarda s'éloigner d'un air stupéfait. Candy marchait d'un pas lourd, saccadé, mais tout en se déhanchant de façon presque impudique.

— Mais, elle est pas malade pantoute, cette fille-là!

L'homme haussa les épaules, remit sa voiture en marche, tout en songeant:

— J'espère qu'aucun policier a relevé mon numéro de plaque. Ça serait une course payante en maudit !

Candy s'était rapidement dirigée vers l'urgence. C'était sûrement là que devait se trouver Marianne Tanguay.

Il y avait foule, comme dans toutes les urgences où les malades, à moins d'être à l'article de la mort, attendent des heures pour recevoir des soins. Du regard, Candy interrogea les visages mais n'aperçut ni Michel, ni le Manchot.

Quelques personnes faisaient la queue au comptoir des renseignements. Elles attendaient qu'on ouvre leur dossier.

Bousculant ces gens, Candy s'avança jusqu'au comptoir en gémissant :

— Où est-elle ? Je veux la voir. Si elle est morte, je veux qu'on me le dise, je veux la voir, mademoiselle !

— Allons, allons, soyez calme.

— Mais comprenez donc, fit-elle d'une voix très forte. Je suis la sœur de Marianne Tanguay ! On m'a dit qu'on l'avait transportée à l'hôpital. Je veux lui parler avant qu'elle meure. Faites vite !

— Quel nom m'avez-vous dit ?

— Tanguay, Marianne Tanguay... Oh, faites vite !

La jeune employée consultait rapidement les dossiers qui s'empilaient devant elle.

— Marianne Tanguay. On l'a transportée dans la salle nº 4.

— Oh, merci !

Rapidement, elle se rendit à la salle nº 4 ; mais un homme en uniforme gardait la porte.

— On n'entre pas.

— Savez-vous si madame Tanguay est là ? Il faut que je la voie.

Il montra une autre porte.

— Attendez là, avec les autres. Quand elle pourra parler, quand le médecin le jugera à propos, on vous le dira.

Elle ouvrit la porte de la salle d'attente. Michel et le Manchot étaient là, accompagnés de deux autres hommes, dont l'un d'un certain âge que Candy reconnut aussitôt. C'était le type à la pipe, celui qui avait empesté le bureau. Quant à l'autre, beaucoup plus jeune, elle ne l'avait encore jamais vu.

— Candy ? Qu'est-ce que tu fais ici ? demanda le Manchot en se levant.

— Et vous autres ? À vous apercevoir, tous, silencieux, comme ça, on dirait que vous êtes dans un salon mortuaire.

Michel venait également de se lever.

— Carabine, c'est pas le temps de faire des farces plates quand une femme se meurt dans la pièce d'à côté.

— Exagère pas, Michel, fit Dumont. Le détective Marois vient de nous dire qu'elle est hors de danger.

Et le Manchot décida de présenter son assistante.

— C'est mademoiselle Varin, elle travaille avec nous. Monsieur Euclide Raymond...

— Je connais, il est venu au bureau.

— Et voici monsieur Bernard Tanguay, époux de Marianne qui a tenté de se suicider en avalant plusieurs capsules soporifiques.

— C'est bibi qui l'a sauvée, intervint Michel. Si j'étais pas arrivé à temps, elle serait déjà rendue à six pieds sous terre.

Candy ne put s'empêcher de murmurer:

— On enterre vite, par chez vous!

Le grand Beaulac continua son récit sans se préoccuper de la remarque de Candy.

— Alors, j'ai prévenu la police. On a transporté madame Tanguay ici. C'est elle qui a tué Gauvin...

D'un geste, le Manchot lui imposa le silence.

— Ne tire pas les conclusions trop vite, Michel.

— Mais c'est vous-même qui avez dit...

— J'ai dit que c'était *possible*. Présentement, tout semble indiquer que, prise de découragement, elle a saisi son revolver, a abattu Gauvin, est revenue chez elle et a tenté de mettre fin à ses jours.

Candy s'écria aussitôt:

— Parlant de revolver, c'est pour ça que je suis venue directement ici. J'ai pensé que la nouvelle pouvait avoir de l'importance. Les policiers ont retrouvé l'arme du crime.

La jeune fille avait parlé à voix haute. Euclide et Bernard Tanguay tendirent l'oreille.

— Comment as-tu appris ça? demanda le Manchot.

Candy conta rapidement ce qu'elle avait fait, puis en vint à la découverte du revolver.

— On l'a trouvé dans un terrain vacant, tout près de la demeure de Gauvin. L'agent qui m'a renseignée m'a dit qu'il s'agissait probablement de l'arme du crime. C'est un petit automatique nickelé... une arme dont se servent les femmes.

— Oh non! s'écria Bernard.

Le Manchot se retourna.

— Qu'est-ce qu'il y a?

— Marianne... son pistolet est comme ça... Il est petit, il est nickelé. Elle le gardait dans le tiroir de sa table de chevet.

— J'ai pas fouillé la chambre, fit Michel.

Bernard Tanguay se laissa tomber dans un fauteuil.

Euclide s'approcha de lui pour l'encourager.

— Voyons donc, voyons donc, faut pas te laisser aller, Bernard. Supposons que Marianne ait tué Gauvin, ça ne veut pas dire qu'elle sera condamnée. Elle a tué un misérable qui ne méritait pas de vivre.

— On a pas le droit de se faire justice, fit Michel. J'en sais quelque chose, moi, j'ai tué un criminel, un voleur de banque et...

— Ferme donc ta gueule au lieu de dire des niaiseries, fit Candy en lui donnant un coup de coude dans les côtes.

La jeune fille y était allée un peu fort, car Michel s'étouffa et toussa pendant quelques secondes, tandis qu'Euclide et Bernard continuaient de parler. Enfin, on put saisir les dernières paroles d'Euclide :

— Oui, je suis entièrement de ton avis. Elle n'avait pas toute sa tête, elle avait pris des calmants, elle était folle, donc on ne peut pas la tenir responsable. Pas vrai, monsieur le Manchot ? On ne peut pas la condamner à la prison pour ça.

Ce fut Tanguay lui-même qui répondit :

— Si on ne la condamne pas à la prison, on la placera dans une maison de santé. Et qui sait quand elle en ressortira.

— Faut être plus optimiste que ça, s'écria Euclide. Tiens, regarde monsieur Dumont, c'est un manchot. Quand il a perdu la main, il ne s'est pas arrêté de vivre pour ça. Il a pris son courage...

— À deux mains, murmura Michel à l'oreille de Candy qui pouffa de rire.

— Il a surmonté son handicap, poursuivit Euclide, et aujourd'hui, il est à la tête d'une importante agence de détectives privés.

Candy prit Michel à part :

— Ça me donne une idée.

— Quoi donc?

— Je vais me faire amputer un bras. Ensuite, on appellera notre agence : « La Vénus de Milo et le Manchot ».

La porte de la salle d'attente s'ouvrit soudain et chacun se tut.

Un homme, grand, bâti en athlète, venait d'apparaître dans la porte. Candy le dévora des yeux, pendant que le Manchot se dirigeait rapidement vers lui.

— Alors, Marois.

— Vous allez pouvoir lui parler, mais le médecin ne veut pas qu'on la fatigue. Elle est sauvée. Heureusement qu'elle semble avoir pris ses pilules en deux temps, autrement...

— Comment ça?

— Selon le médecin, une partie des capsules avait déjà été digérée, mais pas les autres.

— Curieux.

— Pas tant que ça, boss, fit Michel. Madame Marianne est découragée, elle avale quelques pilules, elle devient « stone », décide de tuer Gauvin, met son projet à exécution et revient chez elle et avale le reste de ses capsules pour mettre fin à ses jours.

Bernard Tanguay était déjà rendu à la porte.

— Je vais la voir.

Le Manchot l'arrêta:

— Non, pas vous. J'ai quelques questions importantes à lui poser. Moi d'abord. Si le docteur le permet, vous pourrez ensuite lui parler.

— Je suis son mari! s'écria Tanguay.

— Oui. Malheureusement, vous n'avez pas agi comme tel, hier soir.

Et en sortant, le Manchot fit un signe à Michel pour qu'il surveille les deux hommes.

Quant au détective Marois, il avait décidé de suivre le Manchot. Il voulait en savoir plus long sur cette tentative de suicide. On avait évité de parler de l'assassinat de Gauvin devant le policier.

— Dumont?

Le Manchot se retourna avant de pousser la porte de la salle nº 4.

— Pourquoi cette femme a-t-elle tenté de se suicider?

— Dépression.

— Allons donc, vous me cachez quelque chose. On n'engage pas un détective privé quand une femme souffre de dépression.

Dumont expliqua:

— Elle a été la victime d'un maître-chanteur et on m'avait chargé de le découvrir. Je n'ai pas agi suffisamment vite. Voilà toute l'histoire.

Apparemment satisfait de cette explication, le détective Marois ouvrit la porte de la salle nº 4 et les deux hommes y entrèrent.

Chapitre VII

DE NOUVEAUX SUSPECTS

Un médecin était penché sur la malade. En entendant ouvrir la porte, il se retourna et reconnut le détective Marois.

— C'est le mari? fit-il en désignant Robert Dumont.

— Non, un enquêteur spécial. Il veut lui parler.

S'adressant au Manchot, le médecin spécifia :

— Elle peut difficilement converser. Ne la fatiguez pas.

Le Manchot s'approcha du lit.

— Madame Tanguay... murmura-t-il.

Marianne ouvrit les yeux, regarda lentement autour d'elle. Le Manchot se pencha sur la malade, il lui parlait très bas, presque à l'oreille.

— Je suis Robert Dumont, le détective manchot. Monsieur Euclide vous a parlé de moi. Vous vous souvenez?

Ses lèvres remuèrent. Mais elle semblait avoir tant de difficulté à émettre les sons que le Manchot dut approcher son oreille de sa bouche.

— Le Manchot, balbutia-t-elle.

— Oui, c'est ça.

Elle avait maintenant fermé les yeux mais un vague sourire s'était dessiné sur ses lèvres.

— Que s'est-il passé, hier soir?

Elle saisit la main gauche du Manchot. Évidemment, ce dernier ne pouvait sentir aucune pression sur son membre artificiel. Il avança la main droite, prit celle de la jeune femme dans la sienne et il sentit une légère pression des doigts.

— Vous ne pouvez pas répondre, vous avez de la difficulté. Faites-moi un signe, seulement. Tenez, pour un oui, appuyez avec vos doigts sur ma main. Pour non, remuez vos doigts de droite à gauche. Vous pouvez faire ça?

Elle appuya assez fort avec ses doigts. Elle avait compris.

— Hier soir, vous êtes sortie?

Elle n'avait peut-être pas compris la question car elle ne faisait aucun signe avec ses doigts.

— Vous avez compris ce que je vous ai demandé?

— Oui, fut la réponse.

— Êtes-vous sortie, hier soir?

Cette fois, elle remua les doigts de droite à gauche, de gauche à droite et elle appuya fortement sur la main du Manchot.

— Vous ne vous souvenez pas, c'est ça?

— Oui.

Le détective Marois avait, évidemment, d'énormes difficultés à suivre ce genre de conversation, ne pouvant rien percevoir des réponses de la malade.

— Vous avez pris des somnifères, hier soir?

— Oui.

— Plusieurs? Plus qu'à l'ordinaire?

— Oui.

Les réponses venaient facilement. Pour Marianne, ce genre de dialogue était beaucoup moins fatigant que si elle avait fait un effort pour prononcer des mots.

— Toute une bouteille?

— Non.

— Une douzaine de comprimés?

— Non.

— Quatre ou cinq peut-être?

— Oui.

— Ensuite, vous vous êtes endormie. Vous ne vous souvenez pas d'être sortie de chez vous?

— Non.

— Vous avez un revolver?

— Oui.

— Chargé?

— Oui.

— Avez-vous pris votre revolver, hier soir?

— Oui.

— Vous l'avez mis, je suppose, dans votre sac?

— Non.

Puis, brusquement, comme elle l'avait fait quelques minutes plus tôt, elle remua tous les doigts et la main.

— Vous ne savez pas, c'est peut-être possible. C'est ça?

— Oui.

— Ce revolver, il est noir?

— Non.

— Nickelé?

— Oui.

Le Manchot baissa encore un peu plus la voix, afin de ne pas être entendu par le détective Marois.

— Votre premier but, en prenant le revolver, c'était de vous en servir contre Victor Gauvin?

— Oui.

Et la pression plus forte qu'elle appliqua à la

main du Manchot prouvait la rancœur qu'elle pouvait conserver contre cet homme.

— Vous ne l'avez pas fait?

Elle ne bougea pas, ni les doigts, ni la main. Elle ne savait que répondre, elle ne devait plus se souvenir. À ce moment précis, le médecin qui était resté près de la porte, s'avança.

— C'est suffisant, monsieur. Vous voyez bien qu'il lui est impossible de tenir une conversation.

— Vous vous trompez, docteur, elle m'a appris des choses fort intéressantes. Vous restez près d'elle, Marois?

Le détective ne savait que faire.

— Je me demande pourquoi, Dumont, vous avez posé toutes ces questions? Qu'est-ce que c'est que cette histoire de revolver?

— Ce serait trop long à vous expliquer.

Le Manchot sortit de la chambre. Il entra dans la salle d'attente et immédiatement, Tanguay se précipita vers lui.

— Comment est-elle? Avez-vous pu lui parler?

— Elle est encore sous l'effet des narcotiques. J'ai tenté de la questionner, mais, le détective Marois pourra vous le dire, elle n'a pu prononcer un seul mot.

Et il fit asseoir Tanguay :

— Vous faites mieux de la laisser se reposer encore un peu.

Se rendant compte que Michel Beaulac n'était plus dans la pièce, le Manchot demanda à Candy où il se trouvait.

— Il est allé dans sa voiture, écouter les nouvelles à la radio. Il veut savoir si la presse est au courant de la mort de Gauvin. Tiens, quand on parle du loup, on le voit apparaître.

En effet, Michel venait d'entrer. Il semblait passablement énervé.

— Carabine, vous auriez dû entendre ça. Pour du nouveau, il y en a.

— Comment ça?

— Victor Gauvin a été assassiné. Le journaliste qui a fait le reportage déclare que l'homme était divorcé depuis quelques années, qu'il avait, selon des voisins, cherché à revoir son ex-épouse qui vit en concubinage. En tout cas, c'est cette dame Gauvin que la police recherche.

Euclide avait bondi:

— Qu'est-ce que vous dites? Victor, marié? Je le connais depuis plusieurs années et je ne le savais même pas. Ça prenait un maudit salaud! Proposer le mariage à mademoiselle Marianne alors qu'il était déjà marié!

Le Manchot l'interrompit:

— Attendez, monsieur Raymond. On n'a pas dit depuis combien de temps il était divorcé. Ça pouvait faire plusieurs années.

Michel reprit la parole.

— On n'a pas parlé de l'arme du crime, mais

les policiers semblent croire que c'est une femme qui a tué.

— Qu'est-ce qui te fait dire ça?

— C'est madame Gauvin qu'on recherche et non son concubin, c'est déjà un indice. Le journaliste a déclaré qu'il s'agissait sans doute d'une vengeance, d'un drame de jalousie. Alors, vu que celui qui a été tué est un homme, j'ai tiré mes conclusions.

— Qui a été tué? De quel meurtre parlez-vous?

Le détective Marois était entré dans la pièce sans qu'on l'entende. Tous se regardèrent, ne sachant trop quoi répondre. Le Manchot comprit qu'il lui fallait se tirer de cette fâcheuse situation.

— Nous parlions d'un ami de monsieur Raymond, fit il d'un air dégagé.

— Un ami? C'est beaucoup dire! s'exclama Euclide.

— Il a été assassiné la nuit dernière, une histoire de jalousie. Il voulait reprendre avec son ex-femme, elle ne voulait pas...

Soupçonneux, Marois demanda à Tanguay:

— Votre femme connaissait-elle ce type?

Tanguay jeta un coup d'œil au Manchot. Il ne voulait pas se mettre les pieds dans les plats.

— Évidemment qu'elle le connaissait, répondit rapidement le Manchot, puisque ce monsieur Gauvin a déjà travaillé pour la compagnie

Prince. Madame Tanguay était une demoiselle Prince, avant son mariage.

Euclide crut bon d'ajouter:

— Elle doit très peu se souvenir de Gauvin, ça fait déjà un bon moment qu'il ne fait plus partie du personnel de la compagnie.

— En tout cas, pas depuis que je dirige, fit Bernard Tanguay.

Marois ne semblait pas tout à fait satisfait de ces réponses plutôt évasives, mais il s'avança vers Bernard.

— Votre femme veut vous voir. Elle est un peu plus éveillée. Elle a dit votre nom.

— Sois calme, Bernard, fit Euclide. Surtout, ne parle de rien. Dis-lui que tu restes là, près d'elle, dis-lui que tu l'aimes et... enfin, dis-lui ce que tu voudras mais ne lui parle pas de...

Il s'arrêta net, puis, se rendant compte qu'il allait commettre une bêtise, il ajouta:

— Ne parle pas de moi. Elle voudrait sans doute me voir... et moi, les malades... j'aime pas ça, ça me retourne complètement. Donc, pas un mot.

Tanguay sortit de la pièce mais, au lieu de le suivre, Marois s'approcha du Manchot.

— Robert, qu'est-ce qui se passe exactement? De quoi ne voulez-vous pas parler? Qu'est-ce que vous me cachez? Tu fais mieux de tout me dire.

— Un détective privé, c'est comme un

policier, répondit calmement le Manchot. Il est lié au secret professionnel. J'espère que tu comprends ça.

Et sans donner à Marois le temps de répondre, il se tourna vers Euclide.

— Monsieur Raymond, à votre place, je retournerais au bureau de la compagnie. J'ai bien l'impression que monsieur Tanguay ne s'y rendra pas aujourd'hui et vous devez voir à la bonne marche des affaires.

Le ton avec lequel Robert Dumont avait dit cette phrase, tout en fixant Euclide dans les yeux, n'admettait aucune réplique.

— Vous êtes en voiture?

— J'ai pris un taxi.

— Candy et moi, nous allons vous conduire. Tu nous suis, Michel?

Euclide demanda:

— Et monsieur Bernard?

— Laissons-le auprès de sa femme. Je suis persuadé que mon ami, le détective Marois, comprend la situation et n'ira pas l'importuner par ses questions.

Le Manchot sortit de la pièce, suivi de Candy, d'Euclide et de Michel qui fermait la marche.

— Michel?

— Oui, boss.

— Tu vas retourner chez les Tanguay. Tout d'abord, essaie de trouver le revolver de madame Tanguay. Ensuite, fouille l'appartement. J'aimerais savoir si madame Tanguay est sortie de la maison, après avoir pris ses somnifères.

— Vous croyez que c'est possible ? demanda Euclide.

— Allons donc, vous savez comme moi que certains de ces somnifères sont de véritables drogues. Ces pilules peuvent parfois vous doper, vous rendre inconscient, mais sans vous empêcher d'agir. J'ai déjà vu bien des drogués de ce genre dans mon métier, et plusieurs ne se souviennent plus de ce qu'ils ont fait.

Michel haussa les épaules :

— Je peux bien chercher, carabine, mais j'ai bien peur de rien trouver. J'ai déjà fouillé l'appartement.

— Cesse de rouspéter et fais ce que je te demande. Il est clair que si tu cherches les deux yeux fermés, tu ne trouveras rien.

— Faut fouiller également avec son intelligence, ajouta Candy. Malheureusement, c'est pas donné à tout le monde d'en avoir.

Piqué au vif, le grand Beaulac répondit :

— Moi, on m'a jamais dit que l'intelligence, ça nageait dans la graisse.

— Mon grand escogriffe, toi, si je te mets la patte sur le corps, y en restera pas assez pour faire un enterrement...

Le Manchot s'attardait à causer avec Marois, près de la porte de la salle d'attente.

— Je ne te demande qu'une chose, surveille Tanguay. Il est presque aussi dépressif que sa femme et pourrait tenter de la rejoindre, si jamais elle ne réussissait pas à en réchapper.

— Il serait tellement plus simple de me mettre au courant de tout, soupira Marois.

À cet instant précis, une jeune fille parut, accompagnée d'un garçon qui attirait l'attention par son apparence malpropre et négligée. Euclide se dirigea rapidement vers le couple.

— Lorraine ! Comment se fait-il que tu sois ici ?

— Monsieur Euclide, elle est hors de danger, n'est-ce pas ? C'est bien vrai ?

— Oui, oui. Bernard est auprès d'elle.

— Je veux la voir, où est-elle ?

— Dans la salle voisine, répondit le jeune homme qui l'accompagnait.

Et avant même qu'on puisse la retenir, Lorraine s'était précipitée. Marois voulut la suivre.

— Non, laisse-la, c'est sa sœur, fit le Manchot.

Puis, faisant signe à Candy et Michel de l'attendre, Robert Dumont sortit dans le corridor en compagnie du garçon.

— Vous êtes Lionel Riendeau, n'est-ce pas ?

— Pis vous, vous êtes qui ?

— Robert Dumont.

— Le Manchot ? C'est votre main gauche que vous vous êtes fait couper ? Faut l'savoir.

— Laissez ma main tranquille, répliqua vivement Dumont, ce n'est pas ce qui importe. Hier soir, on s'est mis en communication avec vous et vous vous êtes rendu chez Lorraine ?

— Oui ! Oh, pensez pas que c'est moi qui ai zigouillé le type... le nommé Gauvin. J'ai entendu ça, à la radio. Eh bien, si vous pensez que je suis coupable, vous êtes dans les patates. J'ai un alibi.

Le Manchot s'en doutait.

— Vous avez passé la nuit avec Lorraine ?

— Non, t'es pas d'dans, bonhomme ! Quand une fille est tout à l'envers, c'est pas le temps de lui faire l'amour. Lorraine a passé la nuit dans mon coqueron, mais j'étais pas là. Ça change rien, j'ai un alibi. Si la police m'accuse, j'vas avoir un maudit fun.

Dumont ne comprenait plus.

— Je suis engagé pour vous aider tous, fit le détective. Vous feriez beaucoup mieux de me dire tout de suite la vérité. Vous m'éviteriez de perdre un temps précieux. Qu'avez-vous fait, hier soir, après avoir quitté l'appartement de Lorraine ?

Le jeune Riendeau hésita. Il glissa ses mains dans ses jeans délavés et troués. Il était nerveux, mais quand même, il semblait savoir exactement ce qu'il faisait.

— C'est simple, dit-il enfin, Lorraine et moi, en partant de la maison, on a décidé de suivre Tanguay.

— Pourquoi?

— Parce qu'il avait dit qu'il irait voir sa femme. On voulait savoir comment tout ça tournerait. On l'a suivi jusqu'à la maison. Là, on a vu le vieux, celui qui s'appelle Euclide. Il était là, dehors, il semblait surveiller, et monsieur Tanguay a décidé d'attendre. Nous avons fait comme lui. Quand le bonhomme est parti, Tanguay a décidé d'entrer dans la maison. Alors, je l'ai suivi.

— Quoi! vous êtes entré dans la maison?

— Oui. Oh, j'ai pas fait de bruit, il m'a pas vu. Moi, je pensais qu'il était pour avoir une conversation avec sa femme. Eh bien, la maison était vide, y avait personne.

L'histoire de Riendeau coïncidait avec celle de Tanguay.

— Alors, je suis allé rejoindre Lorraine. Elle dormait presque, dans l'auto. C'est à ce moment-là que j'ai pris ma décision. Lorraine, elle sait mener.

— Pardon?

— Elle sait conduire une auto, o.k.? Alors, je lui ai dit de retourner à mon appartement, de se coucher et de m'attendre. Moi, je suis resté dans le parc, pas très loin de la maison.

— Et Tanguay?

— Il était dans sa voiture. C'était pas chaud, il neigeait, j'ai dû attendre une grosse heure. Il se passait rien, absolument rien. Tanguay semblait mort, au volant de sa voiture. Le jour allait se lever. J'avais fumé une couple de joints et j'étais pas mal parti. J'en avais assez de geler. Alors, je me suis approché de l'auto de Tanguay. Il m'a même pas vu. Il dormait à poings fermés. Ça me donnait rien d'attendre plus longtemps. J'avais pas envie d'attraper mon coup de mort.

— Qu'avez-vous fait?

— J'ai pris un taxi, je suis revenu à la maison. J'avais dit à Lorraine de pas barrer la porte. Je suis entré, elle dormait. Je me suis réchauffé, peut-être une dizaine de minutes, puis j'ai pris les clefs de ma voiture et je suis retourné près de la maison des Tanguay. Monsieur Tanguay était toujours dans son auto, mais il est parti un peu plus tard. J'ai pas voulu entrer dans la maison. On aurait pu me prendre pour un voleur. J'ai bien fait, j'ai attendu, puis j'ai vu arriver le grand escogriffe, cet avant-midi.

— De qui parlez-vous?

— Du type qui causait avec cette espèce de vamp... la blonde.

— Mon assistant, Michel Beaulac.

— Je le connais pas, répliqua le garçon. C'est quelques minutes plus tard que la police, l'ambulance, tout le bataclan, sont arrivés. J'ai pensé que madame Tanguay était morte quand j'ai vu sortir quelqu'un sur la civière. Je les ai suivis jusqu'à l'hôpital. C'est seulement quand j'ai appris que madame Tanguay était hors de danger que je suis allé retrouver Lorraine et nous voilà !

Le Manchot n'avait jamais été aussi songeur.

— Vous dites avoir un alibi parfait ?

— Oui, questionnez monsieur Tanguay. Il vous dira qu'il est entré dans la maison. Il vous dira qu'il a dormi au volant de sa voiture. Faut que j'aie été là pour le savoir.

— Évidemment. Non seulement vous vous donnez un alibi, mais vous en fournissez un autre.

— Comment ça ?

— Vous avez corroboré l'histoire de Bernard Tanguay. Par le fait même, vous venez de lui donner un alibi parfait. Ni vous, ni lui ne pouvez avoir tué Gauvin.

— Ça, c'est sûr, il a pas bougé de devant la maison.

Mais Dumont ajouta :

— Rien ne nous dit, cependant, que Lorraine n'a pas tué le type qu'elle disait aimer. Elle a eu amplement le temps de se rendre à son appartement, de le tuer et de retourner à votre appartement.

— Lorraine, une criminelle? s'écria Riendeau. T'es malade, bonhomme! Ça ferait pas de mal à une mouche. Cette fille-là, ça a été élevée par les sœurs. La première fois qu'elle a fumé un joint, c'est comme si elle avait commis un sacrilège. Et puis, faut pas parler de la « chose ». Une fois, je lui ai touché un téton, c'est comme si j'y avais mis un fer rouge sur le corps. J'ai failli tomber sur le dos, il y a quelques semaines, quand elle m'a dit qu'elle avait un amant. Pour moi, c'était comme si la fin du monde venait d'arriver. Moi, un jeune de son âge, j'avais même pas pu la « poigner » et v'là qu'un vieux maquereau l'avait déviargée.

Le Manchot lui mit la main sur l'épaule.

— Restez près d'elle, Riendeau. Ne quittez pas Tanguay non plus. Je croyais cette affaire terminée mais...

— Mais quoi?

Dumont soupira:

— Je suis tellement mélangé que... enfin, je ne sais plus.

Le jeune Riendeau glissa la main dans sa poche.

— T'es correct, toi, bonhomme! Veux-tu un joint?

— Non, fit le Manchot avec un demi-sourire, et je vous conseille de ne pas fumer, ici, à l'hôpital.

— J'ai peut-être pas l'air intelligent, mais j'suis pas cave, o.k. ? Les policiers qui montent la garde, c'est comme des chiens de chasse, ça a le nez fin. J'ai pas envie de passer quelques heures dans les cellules.

Le Manchot alla retrouver Candy, Michel et Euclide qui commençaient à s'impatienter.

— Allons-y.

Candy ouvrit la marche avec Euclide. Michel marchait avec le Manchot. Ce dernier, les yeux fixés au sol, avançait très lentement.

— Carabine ! On dirait que vous avez perdu un pain de votre fournée !

— Pardon ?

Qu'est-ce qui s'est passé, boss ? Tantôt, vous aviez l'air optimiste, puis là, c'est le contraire. Est-ce qu'il y a quelque chose de changé ? Voulez-vous toujours que j'aille chez les Tanguay ?

— Oui, oui.

Puis, au bout d'un moment, Dumont ajouta :

— Il va falloir tirer certaines choses au clair et, surtout, s'occuper des nouveaux suspects.

On était rendu aux voitures.

— Si tu découvres quelque chose, appelle Rita. Je lui téléphonerai de temps à autre.

— Et vous, qu'allez-vous faire ?

— Conduire Euclide Raymond à son bureau... Ensuite, je ne sais pas. Nous aviserons, Candy et moi. J'ai besoin de réfléchir.

Euclide et Candy étaient déjà installés dans la voiture. Le Manchot se glissa derrière le volant.

— Carabine, je me demande bien ce qu'il a, murmura Michel en regardant s'éloigner la voiture. Je l'ai rarement vu si déboîté.

Renonçant à comprendre, Michel monta dans sa voiture. Il allait filer en direction de la maison des Tanguay lorsqu'il vit sortir le détective Marois en courant. Il regardait autour de lui.

— Vous cherchez quelqu'un ? lui cria Michel.

— Le Manchot est parti ?

— Oui. Quelque chose de spécial ?

— Je voulais en avoir le cœur net. J'ai appelé pour savoir qui s'occupait de l'affaire Gauvin. J'ai l'impression que cet assassinat et cette tentative de suicide se touchent.

Michel n'osa pas répondre.

Marois lança alors :

— Vous direz à Dumont que c'est pas le bon revolver.

— Comment ça ? Qu'est-ce que vous racontez là ?

— Sirois m'a appris que l'arme qu'on a trouvée dans un terrain vacant, non loin des lieux du crime, le petit revolver chromé... eh bien, aucune erreur possible, ce n'est pas celui qui a servi à tuer Gauvin.

Chapitre VIII

QUI A MENTI?

Assise à l'arrière de la voiture du Manchot, tout près d'Euclide qui lui soufflait la fumée de sa pipe au visage, Candy commençait à en avoir assez.

Depuis que l'automobile avait quitté le terrain de stationnement de l'hôpital, le Manchot n'avait pas prononcé une parole. Pourtant, Candy avait cherché à entamer la conversation mais, tout de suite, Dumont l'avait interrompue.

— S'il te plaît, Candy, j'ai besoin de réfléchir.

— Oh, excusez-moi. Mais vous avez quand même du front tout le tour de la tête; demander à une femme de se taire!

Euclide éclata de rire, mais le Manchot ne broncha pas et le voyage se poursuivit dans le silence. Soudain, Candy ouvrit toute grande la fenêtre arrière.

— Hé, qu'est-ce qui te prend? demanda le Manchot. Il ne fait pas chaud, ma fenêtre est entrouverte, je suis en plein courant d'air.

— Et moi, je suis en train de fumer comme un jambon, ici.

Euclide comprit et secoua immédiatement sa pipe.

— Excusez-moi. Mais si la fumée vous dérangeait, vous n'aviez qu'à le dire. Je ne peux pas deviner, moi.

— Et moi, je pouvais pas parler.

On approchait des bureaux de la compagnie Prince.

— Monsieur Euclide, fit brusquement le Manchot, vous avez un revolver au bureau, n'est-ce pas?

— Qui vous a dit ça?

— Peu importe. Répondez à ma question.

— Oui, j'en ai un.

— Pouvez-vous me le remettre?

— Pourquoi?

Impatienté, le Manchot répéta sa question en scandant chaque mot.

— Je peux bien vous le remettre, mais je ne vois pas ce que ça vient faire dans cette histoire. Ce revolver-là, c'est monsieur Prince lui-même qui me l'avait donné en cadeau et, tout de suite, je suis allé me chercher un permis. Je n'aime pas aller à l'encontre de la loi. Mais faut que je vous dise que je ne sais pas s'il tire.

— Comment ça?

— Je ne m'en suis jamais servi. Il est chargé, mais je n'ai jamais eu besoin de tirer. Il est complètement neuf. Je l'ai gardé au bureau, mais jamais on n'a été victime de hold-up, jamais il n'y a eu vol... si on fait exception des fameux détournements de fonds que vous connaissez.

Le Manchot était bien prêt à croire Euclide sur parole, mais il aimait mieux vérifier.

— Candy!

— Oui?

— Tu vas retourner chez Gauvin. Le détective Sirois doit être encore là. Présente-toi à lui. Essaie de savoir tout ce qu'ils ont découvert. Prends des renseignements sur les deux nouveaux suspects. Si Sirois veut me parler, je serai au bureau.

— Et s'il n'est pas chez Gauvin, s'il est parti, j'irai au poste?

Le Manchot hésita une seconde, puis:

— Non, tu reviendras au bureau. Si tu te rends au poste, l'inspecteur Bernier voudra se mêler de l'affaire et ça n'apportera que des ennuis.

La voiture s'arrêta devant les bureaux de la compagnie Prince.

— Prends un taxi, Candy, inutile de perdre du temps.

Le Manchot suivit Euclide dans son bureau. Ce dernier ouvrit un tiroir et sortit le revolver.

— Tenez, vous connaissez ça mieux que moi. Je déteste toucher à ça.

Euclide avait dit vrai. Le revolver n'avait jamais servi.

— Je ne comprends pas pourquoi vous vouliez voir cette arme. Les policiers ont découvert le revolver qui a servi à tuer Gauvin.

— Je sais, je sais. Mais tout cela me laisse une impression bizarre, monsieur Raymond. On m'engage pour résoudre ce mystère, fort bien. Mais je déteste qu'on se moque de moi.

Le bonhomme sursauta :

— Hein ? Qui est-ce qui se moque de vous ?

— Je l'ignore, mais on m'a menti. Il y en a qui ne disent pas la vérité. Vous voulez tous vous protéger mutuellement.

Euclide semblait mal à l'aise.

— Je ne sais pas du tout qui aurait intérêt à vous mentir. En tout cas, moi, je vous ai dit ce que je savais. Je ne vais tout de même pas inventer des histoires pour vous faire plaisir !

— Je ne vous le demande pas, non plus.

Tout ce que je désire, c'est qu'on ne me cache rien, absolument rien. Vous avez bien compris ?

— Je ne suis pas sourd, mais je n'ai rien à ajouter.

Le Manchot lui remit son revolver.

— Je n'en ai pas besoin, vous pouvez le garder.

Et, immédiatement, il sortit du bureau. Il ne semblait guère de bonne humeur. Il monta dans sa voiture, démarra rapidement et se rendit à son bureau.

En entrant, il alla directement à la secrétaire.

— Rita, vous avez pris des notes sur les rapports que vous ont faits Candy et Michel, chaque fois qu'ils vous ont téléphoné ?

— Oui. J'ai tout retranscrit.

Elle lui tendit deux feuilles dactylographiées. Le Manchot les prit et se dirigea vers son bureau.

— Je ne veux être dérangé pour aucune considération. Vous avez bien compris ?

— Oui, mais Michel a téléphoné, il y a à peine cinq minutes. Ce n'est pas sur le rapport.

— Qu'est-ce qu'il voulait ?

Rita prit une feuille sur laquelle se trouvaient quelques notes.

— Le détective Marois lui a dit que l'arme, trouvée près de la demeure de Gauvin, n'est pas l'arme du crime, lut-elle.

— Quoi ?

— C'est ce qu'il a dit.

Le Manchot se prit la tête à deux mains.

— C'est à n'y rien comprendre. Je vais devenir fou, moi.

Et il alla s'enfermer dans son bureau. De sa poche, il sortit son petit carnet qu'il plaça sur son bureau, près des feuilles que Rita lui avait remises. Il resta un bon moment à feuilleter les pages noircies, puis il se mit à prendre des notes. « Tout d'abord, Euclide, murmura-t-il en écrivant. Il part de chez lui, après avoir cherché à me rejoindre. Il se rend chez les Tanguay. Il n'ose pas entrer. Il reste en faction devant la maison. Il croit que Marianne dort. Il retourne chez lui. »

Le témoignage d'Euclide était corroboré par celui de Bernard Tanguay. « Il a vu Euclide, il a attendu qu'il soit parti pour entrer dans la maison. »

Le Manchot se leva brusquement. « Non, ça ne va pas, ça ne va pas du tout. Bernard Tanguay m'a dit qu'il croyait qu'Euclide avait transporté Marianne à son appartement. Alors, s'il a vu le bonhomme devant la maison, pourquoi ne l'a-t-il pas questionné? Il était inquiet de ne pas voir sa femme dans la maison. Non, ça ne va pas du tout. Les deux auraient menti, les deux se seraient parlé, seraient peut-être partis ensemble. »

Dumont retourna à son bureau, reprit son carnet. « Impossible. Lionel, l'ami de Lorraine, corrobore les dires de Tanguay. Il a suivi ce dernier. Il a vu Euclide devant la maison. Tanguay a attendu. C'est exactement ce qu'on m'a dit. Tous ces témoignages se tiennent. Riendeau a suivi Tanguay dans la maison, pendant que Lorraine attendait dans la voiture, tout ça, après le départ d'Euclide. Marianne n'était pas là. Lionel Riendeau est revenu à sa voiture. Il a demandé à Lorraine de se rendre à son appartement. »

Il lut le témoignage de Riendeau. « J'ai attendu une grosse heure. Il se passait rien. Le jour allait se lever... fumé une couple de joints... pas mal parti. Suis allé voiture Tanguay, il dormait, m'a pas vu. Pris un taxi, suis revenu à la maison... »

Le Manchot s'arrêta : « Le jour allait se lever, mais le temps était gris, pensa-t-il. Il pouvait être quatre, cinq ou aussi bien six heures du matin. Que s'est-il passé entre le moment où Riendeau est retourné à son appartement et l'arrivée d'Euclide au bureau ? Ils ont tous un alibi pour le crime, oui, mais il y a quelques heures où je ne sais absolument rien. Euclide est entré chez lui ; il était seul et personne ne peut corroborer ses dires. Tanguay aurait dormi dans sa voiture, jusqu'au matin : personne ne peut cependant me dire si c'est vrai ou non. Lionel dit être allé retrouver Lorraine: mais elle dormait. Il s'est réchauffé... combien de temps? Je l'ignore. Il a pris les clefs de la voiture, il est retourné chez les Tanguay et Bernard était toujours là... mais il y a un laps de temps... une heure, peut-être deux, où j'ignore ce qui s'est passé exactement.»

Le Manchot était de plus en plus persuadé qu'on lui avait menti.

— Ou, du moins, quelqu'un me cache une partie de la vérité.

Celle qui possédait la clef du mystère, c'était Marianne. Mais elle ne se souvenait de rien. Où était-elle allée durant la nuit?

Brusquement, il retourna à son bureau, décrocha le téléphone et appela à l'hôpital Royal Victoria.

— L'urgence, s'il vous plaît.

Il demanda à parler au détective Marois qui se trouvait en faction à la salle n° 4.

— Marois, c'est Dumont. Comment est notre malade?

— Beaucoup mieux. Elle a pu causer avec son mari. Il vient tout juste de partir. Il fallait qu'il se rende à son bureau. Présentement, elle repose encore. Le détective Sirois doit venir l'interroger.

— Sirois? Mais pourquoi?

— Je l'ai appelé, je lui ai dit que cette tentative de suicide pouvait avoir quelque chose à voir avec l'assassinat de Gauvin.

Le Manchot poussa un juron.

— Tu n'aurais jamais dû faire ça. Ça va compliquer la situation inutilement. Attends-moi, je me rends tout de suite à l'hôpital. Si Sirois arrive avant moi, ne le laisse pas parler à la malade.

Mais Marois le rassura.

— Il ne viendra pas tout de suite. Il m'a dit qu'il devait passer au poste, faire son rapport à l'inspecteur. Or, quand on a affaire à Bernier, c'est toujours très long. Il questionne à n'en plus finir et n'est jamais satisfait.

— Je sais. J'arrive.

Le Manchot raccrocha. Il allait sortir de son bureau lorsque Candy fit son apparition.

— Je me suis rendue à l'appartement de Gauvin. Il y avait bien des policiers en faction mais l'équipe d'experts, le détective Sirois et ses principaux collaborateurs étaient partis.

— Je sais. Si Michel appelle, Rita, nous serons à l'hôpital Royal Victoria. Toi, tu viens avec moi, Candy.

Ils sortirent du bureau. La grosse fille suivait le Manchot qui marchait rapidement, au pas militaire.

— Pourquoi qu'on retourne là-bas? On en sort à peine. Il y a du nouveau?

Le Manchot ouvrit la portière de la voiture.

— Monte.

— Bon, j'ai compris. C'est la consigne du silence qui se continue.

— Il faut absolument faire parler Marianne Tanguay. Elle a pris beaucoup de mieux. Si elle a décidé de ne rien dire...

Le Manchot ne termina pas sa phrase, mais il appuya brusquement sur l'accélérateur. Candy comprit qu'il en avait assez, qu'il allait prendre les grands moyens pour connaître la vérité.

*

* *

— Ne pose pas de questions, je t'en prie, fit le Manchot à Marois. Écoute, je t'expliquerai plus tard. Madame Tanguay, fit-il en se penchant vers la malade.

Marianne ouvrit les yeux.

— Vous me reconnaissez ? Nous avons causé tout à l'heure. C'est moi, Robert Dumont, le détective manchot.

Cette fois, elle pouvait parler.

— Je vous reconnais, murmura-t-elle. Mais je ne sais rien, absolument rien. Je ne dirai pas un mot. Je veux qu'on me laisse.

Elle avait changé d'attitude. Lors du premier interrogatoire, elle disait ne plus se souvenir ; maintenant, elle ne voulait pas parler.

Robert Dumont haussa brusquement le ton.

— Madame Tanguay, écoutez-moi bien, fit-il d'une voix forte. J'en ai assez. Vous allez me dire exactement ce qui s'est passé. Où êtes-vous allée, hier soir ? Qu'avez-vous fait ?

Il avança sa main gauche et serra le poignet de la jeune femme qui grimaça.

— Vous faites mieux de répondre, sinon je vous fais tous coffrer, vous, votre mari, monsieur Euclide, tous !

Marois s'avança :

— Dumont, soyez calme. Vous voyez bien que vous lui faites mal...

Juste à ce moment, la porte s'ouvrit.

— Il y a un monsieur Dumont, ici ?

— Oui, c'est moi. Qu'est-ce qui se passe, encore ?

— On vous demande au téléphone, c'est urgent. C'est de la part de monsieur Beaulac.

— J'y vais.

Le Manchot sortit de la salle et alla prendre le récepteur.

— Oui, Michel...

— Boss, j'ai fouillé la maison des Tanguay. J'ai trouvé des souliers appartenant à une femme, madame Tanguay, sans doute. Ils étaient sales et humides. Ça prouve qu'elle est sortie la nuit dernière.

— Ça, on le sait.

— Attendez, c'est pas tout. La maison est

très propre, immaculée, les cendriers ont tous été nettoyés, à l'exception d'un. Un cendrier qui est près de la porte d'entrée, sur une petite table. Dans ce cendrier, j'ai trouvé de la cendre de pipe.

— Ah !

— Mon père fumait la pipe. Quand il entrait chez quelqu'un et qu'il avait la pipe à la bouche, il cherchait immédiatement un cendrier pour y vider sa pipe. Tous les cendriers sont nets à l'exception de celui-là. Madame Tanguay fume, monsieur Tanguay aussi. Donc, on peut facilement supposer que le ménage a été fait dans la journée, hier. Pourtant, monsieur Euclide a affirmé qu'il était pas entré chez les Tanguay hier soir. Ça prouve qu'il a menti.

— Pas nécessairement.

— Comment ça?

— Il n'y a pas qu'un homme qui fume la pipe, tu sais.

Mais le Manchot dut avouer à Michel qu'il avait fait du beau travail.

— Maintenant, rends-toi à la centrale de police. Le détective Sirois y est, présentement. Attends-le. Ne va pas mêler les cartes avec l'inspecteur Bernier.

— Compris.

— Sirois doit venir à l'hôpital. Accompagne-le et mets-le au courant de ce qui se passe. Essaie d'en savoir plus long sur cette première femme de Gauvin et le type qui vivrait en concubinage avec elle.

— Vous demeurez à l'hôpital ?

— Oh oui ! Je suis ici pour un bon moment. Ça prendra le temps que ça voudra, mais je vais forcer madame Tanguay à nous raconter son histoire et, surtout, à nous dire la vérité.

Chapitre IX

JE N'AI PAS TUÉ

Le Manchot retourna dans la salle no 4. Candy était penchée sur le lit et causait gentiment avec la malade.

— Ah, vous voilà !

Candy faisait des signes de la main au Manchot.

— Elle est prête à vous parler, mais soyez plus calme avec elle. Vous feriez peur à n'importe quelle femme. Je lui ai dit que la police était en route pour ici, qu'on voulait l'arrêter et l'accuser de meurtre. Je lui ai dit que vous étiez le seul à pouvoir l'aider mais qu'il y avait pas une minute à perdre et qu'elle devait tout dire, peu importe ce qu'elle avait promis à son mari.

Cette fois, beaucoup plus calme, Robert Dumont approcha une chaise, s'assit près du lit et prit la main de Marianne.

— Candy a raison, j'ai été malhabile, tantôt. C'est votre mari qui vous a fait promettre de garder le silence? Si vous vous obstinez, vous vous retrouverez derrière les barreaux et moi, j'aurai beaucoup plus de difficulté à mener mon enquête.

Marianne murmura:

— Je ne me souviens pas de tout. C'est vague... Euclide vous renseignerait mieux que moi...

— Nous allons commencer par le tout début. Hier soir, au commencement de la soirée, Euclide vous a téléphoné. Vous aviez parlé à votre sœur, à votre mari...

— Oui et ils n'ont rien compris. Ils croient que... Victor et moi...

Elle avait des sanglots dans la voix. Patiemment, le Manchot continua l'interrogatoire.

— Euclide vous a fait promettre de vous coucher. Vous l'avez fait?

— J'ai pris deux séconals. Je ne parvenais pas à dormir, alors j'en ai pris une autre. Je ne pensais qu'à Victor qui risquait de briser toute ma vie. Brusquement, j'ai pris ma décision. Je me suis levée. J'étais étourdie, je marchais comme... comme...

— Comme une automate?

— Oui, comme en rêve. J'ai pris mon pistolet. Je voulais aller tuer Victor. Je suis sortie de la maison. J'ai pris un taxi... je ne sais pas si j'ai donné la bonne adresse. J'ai marché aussi... il faisait froid, il neigeait.

Le Manchot avait hâte de savoir.

— Vous êtes montée à l'appartement de Gauvin?

— Oui, je me suis annoncée. Au début, il semblait ne pas vouloir me recevoir. Je lui ai dit que c'était important... qu'il s'agissait d'une question de vie ou de mort.

— Et vous êtes entrée?

— Oui. Nous avons discuté, je ne me souviens plus très bien. Mais à un moment, j'ai sorti mon pistolet et puis, il y a eu le coup de feu. J'ai vu Victor tomber. Je suis devenue tout étourdie... j'ai perdu conscience...

— Donc, vous l'avez tué?

— Non! cria-t-elle. Non, je n'ai pas tiré, je vous jure que je ne l'ai pas tué. J'ai ouvert les yeux, j'ai vu qu'il était mort... J'avais toujours mon arme à la main. Mais toutes les balles étaient là, les six balles. Je ne l'ai pas tué.

Et elle se mit à pleurer.

Le Manchot la laissa se calmer avant de demander:

— Vous êtes sortie de l'appartement... vous vous êtes sauvée?

— Je ne sais pas... Le pistolet... oui, mon automatique... Je devais m'en débarrasser... Je ne me souviens plus... J'ignore ce que j'en ai fait. J'avais froid... et Euclide était là, près de moi.

— Euclide?

— Oui. Il me questionnait, mais je ne pouvais pas répondre. Il m'a fait monter dans un taxi et... je ne sais plus... quand j'ai repris conscience, j'étais chez lui. Là, j'ai conté tout ce qui s'était passé, je m'en souviens. Et Euclide m'a rassurée, il m'a dit que si je n'étais pas coupable, on ne pourrait pas m'accuser. Et il est venu me reconduire à la maison. Bernard était là.

— Dans la maison?

— Je ne sais pas, je ne sais plus. Je ne suis pas certaine... je crois qu'ils m'ont donné des somnifères... je ne sais plus... J'ai fait un rêve, je crois... Je ne pouvais pas dormir... alors, j'ai pris d'autres pilules... quatre ou cinq.

Candy se pencha vers le détective Marois.

— Maintenant, ça explique tout, murmura-t-elle. Elle avait pris des somnifères avant d'aller chez Gauvin, ensuite son mari, ou le bonhomme à la pipe, lui en a donné d'autres et elle en a repris...

Le Manchot, pendant ce temps, continuait :

— Quand vous êtes-vous réveillée?

— Ici, à l'hôpital. J'ignore ce qui s'est passé, mais je ne l'ai pas tué... Je n'ai pas tué Victor Gauvin.

Le détective Marois s'approcha.

— Je crois qu'elle est fatiguée. Et puis elle vous a dit tout ce qu'elle savait.

Le Manchot se leva brusquement.

— Il faut que je donne un coup de fil.

Il retourna au téléphone public, dans le corridor de l'hôpital. Il composa un numéro, puis :

— Je voudrais parler à monsieur Euclide Raymond, de la part du Manchot.

Quelques secondes plus tard, il reconnut la voix de celui que Marianne considérait comme son père.

— Qu'est-ce qui se passe?

— Pourquoi ne m'avez-vous pas dit toute la vérité, monsieur Raymond? J'ai pourtant insisté... je vous ai dit qu'on ne devait pas me prendre pour un imbécile.

— Mais, je ne comprends pas...

— Finie la comédie! Marianne a tout raconté. Je ne veux savoir que deux choses.

— Marianne vous a dit que...

— Elle a tout dit. Elle est plus intelligente que vous et que son mari. Elle a compris qu'il ne servait à rien de mentir. Tout d'abord, lorsque vous avez ramené Marianne chez elle, son mari, qui était près de la maison, est entré avec vous. Avez-vous donné des somnifères à madame Tanguay?

— Oui, deux séconals. C'était normal, elle était à bout...

— Seconde question, quand elle s'est endormie, vous et Tanguay, qu'avez-vous fait?

— J'ai entraîné Bernard à l'extérieur, je lui ai conté tout ce que je savais. Ensuite, je suis rentré chez moi. Bernard, lui, a préféré dormir dans sa voiture. Il ne voulait pas déranger sa femme.

— Cette visite dans la maison, avec Marianne, puis votre entretien avec Tanguay, ça a duré longtemps?

— Je ne sais pas, trente, quarante minutes, peut-être.

Le Manchot réfléchit, puis:

— Monsieur Tanguay est à son bureau, présentement?

— Oui. Il est arrivé, il y a quelques minutes.

— Rejoignez-le. Entrez également en communication avec Lorraine et son jeune ami, Lionel Riendeau. Je vous attends tous à l'hôpital.

— À l'hôpital? Mais pourquoi?

— Il est grandement temps de mettre un terme à toute cette affaire.

Euclide demanda, surpris:

— Dites-moi pas que vous savez qui a tué Gauvin !

— Oui, je le sais ; du moins, je crois le savoir. Il me manque certains détails et, surtout, des preuves. Mais, j'en trouverai bien. Ce qu'il y a d'ignoble, dans cette affaire, c'est non seulement d'avoir tué Gauvin, mais d'avoir laissé tomber les soupçons sur Marianne. Mais un assassin ne pense pas à tout, il commet des erreurs impardonnables.

— Que voulez-vous dire ?

— Vous comprendrez, tantôt. Je vous attends, tous les quatre, n'est-ce pas ? La police officielle sera ici. Quand j'en aurai terminé avec l'assassin, le détective Sirois n'aura plus qu'à faire son devoir.

Et le Manchot raccrocha.

— Robert ! Vous allez me dire qui a tué ?

Dumont se retourna. Il n'avait pas remarqué que Candy l'avait suivi dans le corridor. Elle avait dû tout entendre.

— J'aimerais tellement le savoir avant les autres... surtout avant ce grand escogriffe de Beaulac. Ça lui en boucherait un coin si je lui laissais croire que j'ai trouvé le coupable.

Le Manchot eut un petit sourire narquois :

— Mais tu pourrais l'avoir trouvé, tout comme moi. Tu en sais aussi long que moi. Il y a certaines questions que tu dois te poser ; et si tu y réponds, tu connais l'assassin.

— Quelles questions?

Le détective n'eut pas à répondre, car juste à ce moment il vit Michel Beaulac qui marchait vers lui dans le corridor. Il était accompagné du détective Sirois, un colosse d'une quarantaine d'années qui tendit la main au Manchot.

— Salut, Bob. Comment allez-vous?

— Bien. Je suppose que Michel vous a raconté le gros de l'histoire?

— Oui, mais tout ce que je sais maintenant, c'est que nous avons cinq suspects de plus.

Le Manchot le rassura:

— Ça ne durera pas. Tout d'abord, je voudrais savoir si vous soupçonnez encore l'épouse de Gauvin et son concubin, dont j'ignorais l'existence.

Tout le groupe pénétra dans la salle d'attente, attenante à la pièce où reposait la malade. Marois et Sirois se saluèrent, puis le Manchot et les deux détectives se retirèrent à l'écart. Candy en profita pour s'approcher de Michel.

— Tu sais quoi? Robert et moi, on va faire coffrer l'assassin.

— Pour ça, faut d'abord le démasquer. J'ai ma petite idée, là-dessus.

— Moi aussi, mon grand. J'ai fait part de mes déductions à Robert, on a eu seulement à tirer les conclusions pour tout comprendre. C'était facile. Il s'agissait simplement de se poser certaines questions.

— Quelles questions ? demanda Michel.

— Les hommes sont tous les mêmes, soupira Candy. Il faut leur donner ça tout cuit dans le bec. Ils sont incapables de faire un effort. Tout à l'heure, tu as dit que mon intelligence baignait dans la graisse...

— Je plaisantais.

— Eh bien, maintenant, trouve-les toi-même, les questions. Tu apprendras la vérité lorsque... lorsque Robert et moi, nous aurons décidé de la dire, pas avant.

Une infirmière apparut et coupa court à toutes les conversations.

— Je tiens à vous prévenir. Nous avons une chambre privée pour madame Tanguay ; on va la transporter d'un instant à l'autre.

Et elle donna le numéro de la chambre.

— Marois, fit le Manchot, vous resterez ici et lorsque la famille viendra, le mari, la sœur, les autres, vous les ferez tous monter à la chambre.

Puis, se tournant vers Sirois, il demanda :

— Alors, si vous me parliez de cette dame Gauvin ?

— Elle n'a rien à voir avec le meurtre de son mari. Depuis qu'elle est séparée de son époux, elle vit avec un type qui a de l'argent. Gauvin l'a appris et il a cherché à soutirer de l'argent au mari. Ils ont eu de violentes discussions, ça a attiré l'attention des voisins. C'est comme ça que j'ai appris l'existence de cette dame Gauvin.

— Mais vous dites qu'ils n'ont rien à voir avec la mort de Victor Gauvin ?

— Non. Hier soir, le couple était à l'extérieur de Montréal. C'est pour cette raison que j'ai eu de la difficulté à les rejoindre. Ils ont passé la nuit chez des amis. Il y avait une fête. Une dizaine de personnes peuvent leur servir d'alibi. D'ailleurs, depuis que Beauséjour, l'amant de l'ex-madame Gauvin, a menacé Gauvin de le faire arrêter pour chantage, comme tous les faux braves de cette espèce le salaud n'a plus donné signe de vie.

— Deux suspects en moins ! conclut le Manchot.

— Il en reste cinq !

— Pas pour longtemps.

Candy, qui était sortie en même temps que l'infirmière, revint pour annoncer :

— Madame Tanguay est rendue à sa chambre. Si vous voulez me suivre, messieurs, je vais vous indiquer le chemin.

Michel passa le premier. Le Manchot suivait avec le détective Sirois, pendant que Marois restait de faction près de la salle no 4, attendant l'arrivée d'Euclide et de son groupe.

— Dis donc, Robert... cette fille n'a pas déjà fait partie de la police ?

— Oui, je l'appelais Candy !

— Je me souviens d'elle, fit Sirois. Dis-moi pas qu'elle travaille pour toi?

— Pourquoi pas?

Sirois haussa les épaules:

— C'est un genre... Enfin... quand elle a été en service... disons qu'elle avait la cuisse légère.

Le Manchot ne put s'empêcher de rire.

— Avoue que c'est tout un exploit.

— Quoi donc?

— Avoir la cuisse légère... avec son poids!

*

* *

Le Manchot, Candy, Michel et le détective Sirois attendaient dans une sorte de salon, au bout du corridor. On était en train d'installer Marianne Tanguay dans sa chambre.

Une infirmière parut, regarda les trois hommes, puis:

— La malade est installée, fit-elle, mais je me demande si je dois prévenir le médecin.

— Pourquoi?

— Elle est très nerveuse. Je crains une dépression. Par trois fois, elle m'a dit: « Je ne l'ai pas tué. Il ne veut pas me croire. Je suis innocente, je ne l'ai pas tué. » Je lui ai demandé qui ne voulait pas la croire et elle m'a répondu: « Le Manchot. »

Dumont réfléchit quelques instants.

— Je ne veux surtout pas qu'elle dorme, déclara-t-il enfin. Vous pouvez lui donner un calmant, mais dites bien au médecin qu'il faut qu'elle reste éveillée. Vous verrez, bientôt elle sera beaucoup plus calme.

— Je vais faire mon rapport au médecin.

Michel s'approcha du Manchot.

— Vous croyez réellement que c'est elle qui a tué Victor Gauvin?

— Pourquoi dis-tu ça? Puisqu'elle déclare qu'elle ne l'a pas tué, c'est peut-être la vérité. Jamais je croirai que dans ce groupe, il n'y a pas une seule personne de franche.

Michel n'en savait pas plus long, d'autant plus que Candy s'amusait à se moquer de lui.

— La vérité, Michel, voilà tout ce qui compte, disait-elle en riant. Discerner le vrai du faux... Mais toi, tu n'as pas l'intelligence du Manchot... ou l'intuition des femmes.

Chapitre X

CARTES SUR TABLE

Euclide Raymond et Bernard Tanguay arrivèrent en même temps. Les deux hommes paraissaient nerveux. Euclide, surtout, semblait fuir les regards du Manchot.

— Vous avez de curieuses manières, leur dit ce dernier. Vous m'engagez pour protéger madame Tanguay. Survient un meurtre et, au lieu de m'aider, vous me mettez des bâtons dans les roues.

Personne n'osa répondre.

— Vous avez rejoint Lorraine Prince? demanda le Manchot en se tournant vers Euclide.

— Oui, elle était chez le jeune Riendeau. Ils ne devraient pas tarder, répondit celui-ci en sortant sa pipe de sa poche.

Juste à ce moment, Candy intervint.

— Hé, le père! Si ça vous fait pas de différence, remettez donc votre pipe dans vos culottes pour quelques minutes. Vous en mourrez pas. On a pas le droit de fumer dans les chambres de malade.

Et elle songeait: « On a pas plus le droit de rendre les autres malades en les empoisonnant. »

Enfin, Lorraine arriva avec son jeune ami.

— Hé, bonhomme! s'écria-t-il en entrant. C'est toi qui nous fais venir ici? Si toi, t'as rien à faire, moi, j'suis occupé.

— Lionel, je t'en prie.

Le Manchot leur fit signe de le suivre.

— Nous allons tous nous rendre à la chambre de madame Tanguay.

La jolie Marianne ne dormait pas. On lui avait fait un peu de toilette; elle avait refait son maquillage, on l'avait coiffée, et elle paraissait beaucoup mieux. Bernard l'embrassa, Euclide lui décocha un sourire et Lorraine lui prit les deux mains.

— Comment ça va, ma grande?

— Mieux, beaucoup mieux.

Le Manchot ordonna à Michel d'aller chercher quelques chaises afin que tout le monde puisse s'asseoir. Candy put prendre place près du jeune Beaulac. La fille avait un sourire énigmatique.

— Ouvre bien tes grandes oreilles. Un jour, si tu suis notre exemple, tu deviendras peut-être un bon détective.

Le Manchot présenta le détective Sirois.

— C'est lui qui est chargé de l'enquête sur la mort de monsieur Victor Gauvin.

Robert Dumont regarda longuement Euclide puis Tanguay, puis le jeune couple et, enfin, il se tourna du côté de la malade.

— Vous tous, tous les cinq, vous aviez de bonnes raisons pour tuer Victor Gauvin.

— Oh ! Une seconde, bonhomme. Moi, je veux pas être mêlé à ça. Ce type-là, Gauvin, je le connais pas, je l'ai peut-être vu une ou deux fois...

— Mais c'est quand même l'homme qui vous a volé votre amie et qui, par le fait même, vous empêchait d'épouser une fille qui deviendrait riche, un jour.

Lionel éclata de rire :

— Moi, me marier ? M'attacher pour la vie ? Hey ! je suis pas un cave. Même si c'était une milliardaire, je me passerais pas la corde au cou.

— Sirois, voulez-vous le faire taire. Autrement, nous ne finirons jamais, fit le Manchot.

Une fois le silence rétabli, il put poursuivre :

— Parlons tout d'abord d'Euclide et de monsieur Tanguay. Tous les deux, sans le savoir, vous corroboriez vos alibis. Vous, Tanguay, après avoir vu votre belle-sœur, vous êtes revenu à la maison. Votre femme n'y était pas. Vous avez décidé d'attendre à l'extérieur et vous avez vu apparaître Euclide.

Puis, se tournant vers Lionel :

— Et toi, le jeune, tu les as vus tous les deux. Donc l'alibi était confirmé par différents témoignages. Euclide Raymond quitte enfin son poste devant la maison. Monsieur Tanguay reste dans sa voiture. Lionel, vous demandez à Lorraine d'aller vous attendre à votre appartement. Vous surveillez monsieur Tanguay pendant un certain temps, puis vous avez froid et vous retournez à votre appartement. Vous vous réchauffez, puis vous prenez votre voiture et revenez devant chez les Tanguay. Bernard Tanguay est toujours là, dormant au volant de sa voiture.

— C'est exactement ce qui s'est passé.

— Oui, mais vous avez été peut-être une heure absent. Qu'a fait monsieur Euclide en quittant la maison des Tanguay ? Est-il vraiment retourné chez lui ? Et pendant votre absence, Riendeau, monsieur Tanguay est-il toujours demeuré au volant de sa voiture? Voilà des questions que je me suis posées.

Candy ajouta à l'oreille de Michel :

— Tu commences à comprendre, maintenant... les questions, Michel, les questions !

— Tais-toi et écoute.

Le Manchot regarda Marianne Tanguay.

— Je ne vous demanderai pas de répéter votre témoignage, je vais le résumer.

Il parla de Victor Gauvin, du chantage qu'il voulait exercer sur Marianne Tanguay et son mari.

— Monsieur Raymond décide de m'engager. Malheureusement, madame Tanguay n'a pas de patience. Elle parle à sa sœur, puis à son mari.

Bernard murmura :

— J'ai été assez idiot pour ne pas la croire.

— Elle parle avec Euclide. Elle est dans tous ses états et cherche à dormir. Elle n'y arrive pas. Mais elle se rappelle soudain qu'elle a un revolver, et une idée folle germe dans son esprit. Elle se rend chez Gauvin avec l'intention de le tuer. Ce dernier hésite à la faire monter, *car il y a déjà quelqu'un dans son appartement.*

— Je n'ai pas dit ça, fit Marianne.

— Non, mais moi, je le sais. Madame Tanguay ne se souvient pas exactement de ce qui s'est passé. Elle sort son revolver, puis elle ne sait plus très bien... Elle entend un coup de feu. Elle perd conscience, car elle a pris des somnifères. Disons qu'elle dort, si vous ne voulez pas admettre qu'elle reste inconsciente pendant plusieurs minutes. Lorsqu'elle ouvre les yeux, elle voit Gauvin, mort. Elle est certaine qu'elle ne l'a pas tué, mais personne ne la croira. Elle sort en courant, elle veut se débarrasser du revolver. Elle ne sait plus ce qu'elle fait, mais la police a retrouvé le revolver dans un terrain vacant. Elle l'a donc lancé là. Puis elle s'éveille dans l'appartement d'Euclide Raymond.

Lorraine sursauta:

— Chez Euclide? Mais comment se fait-il que...

— Monsieur Raymond a attendu quelques minutes devant la maison. Il était nerveux, inquiet. Il m'a dit qu'il était entré chez lui, mais c'est faux. Il a pris une voiture et craignant le pire, il s'est rendu chez Gauvin. Il savait où il habitait. Il est arrivé juste à temps pour apercevoir Marianne qui venait de sortir. Il se porte à son secours et la conduit à son appartement. Elle lui raconte ce qu'elle sait, ce qu'elle se rappelle. L'appartement de Gauvin, la querelle, la télévision qui jouait, le coup de feu... Euclide décide de la ramener à son appartement. Il arrive chez les Tanguay alors que vous, Lionel, vous êtes retourné chez vous.

Bernard Tanguay voit Euclide arriver avec sa femme. Il l'aide. On lui donne des somnifères et on la met au lit. Les deux hommes sortent de la maison pour que Marianne puisse dormir sans être dérangée. Ils vont dans la voiture de monsieur Tanguay. Euclide raconte ce qu'il sait, puis retourne chez lui. Bernard demeure dans sa voiture. Lorsque vous revenez, Lionel, vous le trouvez endormi et vous croyez qu'il n'a pas bougé. Voilà exactement ce qui s'est passé.

— Madame Tanguay, intervint Michel, a pourtant tenté de se suicider. Je l'ai trouvée...

Le Manchot lui expliqua comment Marianne Tanguay, sans le vouloir, avait failli mettre fin à ses jours.

— Mais alors, s'écria Sirois, qui a tué Victor Gauvin ?

— J'y arrive.

Il se tourna du côté de Tanguay.

— Tout d'abord, je vous ai soupçonné, vous, Tanguay.

— C'est ridicule.

— Quand je vous ai appris la mort de Gauvin, vous vous êtes défendu. Mais vous avez commis une erreur. Vous m'avez dit...

Le Manchot sortit son carnet.

— J'ai noté votre phrase. Vous avez dit que si vous aviez voulu tuer Gauvin, vous n'auriez pas fait la bêtise de laisser la télévision ouverte.

Or, seul l'assassin et moi savions que l'appareil était en marche... du moins, à ce moment-là, je le croyais. J'ai même failli vous faire arrêter. Ce n'est que plus tard que j'ai compris. Madame Marianne a raconté à Euclide Raymond qu'elle était allée chez Gauvin, qu'il y avait eu querelle, que le téléviseur était restée ouvert quand elle s'était enfuie, laissant Gauvin mort dans le salon... Euclide Raymond vous a répété ça et vous, pour rendre votre défense plus énergique, vous me dites que vous n'auriez pas commis cette erreur.

Marianne, pour la première fois, prit la parole d'une voix encore faible.

— Oui, je me souviens. Euclide m'a demandé s'il y avait quelqu'un d'autre dans l'appartement quand je suis partie? J'ai dit que je l'ignorais, que j'avais fermé la porte derrière moi, que le téléviseur fonctionnait toujours... Oui, j'ai dit ça.

— Si je ne vous ai pas fait arrêter, Tanguay, reprit le Manchot, c'est que j'ai compris que vous ne pouviez être l'assassin et pour une raison très simple. Depuis que Gauvin avait quitté son emploi, vous ne l'aviez revu que dans certains meetings très officiels. Vous ignoriez sans doute où il habitait, vu que son numéro ne figurait pas dans l'annuaire du téléphone. Seuls, votre femme et Euclide le savaient.

— Ah !

— Alors, j'ai compris que non seulement l'assassin voulait se venger de Gauvin, mais qu'il avait également intérêt à faire accuser Marianne Tanguay. Qui donc pouvait connaître l'adresse de Gauvin ? Qui donc pouvait vouloir se venger de lui ? Qui donc avait intérêt à voir le crime tomber sur les épaules de Marianne ?

— Les fameuses questions ! murmura Candy.

Tous se regardaient. Euclide, la main dans sa poche, serrait fortement sa pipe. Il aurait tout donné pour pouvoir l'allumer, ne serait-ce que quelques secondes.

Marianne tourna la tête.

— Pourquoi ? Pourquoi as-tu fait ça ? dit-elle doucement.

Lorraine éclata en sanglots.

— Je ne voulais pas le tuer... Non, je ne voulais pas. Quand tu m'as dit qu'il avait été ton amant... que les lettres dataient de plusieurs années, je me suis souvenue qu'il n'y avait pas de date sur la lettre. Alors, j'ai décidé d'avoir une explication avec Victor. Je me suis rendue à son appartement.

Son récit était entrecoupé par les sanglots.

— Puis, tu as sonné. Victor m'a fait cacher dans sa chambre. J'ai entendu. J'ai compris qu'il m'avait trompée. Sur son bureau, il y avait un revolver. Je t'ai vue sortir le tien.

Alors, je me suis emparée de l'arme. J'étais dans la porte, derrière toi. J'ai fait feu. À ce moment-là, je n'avais aucun but précis. Je ne pensais pas encore à te faire accuser à ma place... J'ai tiré, tout simplement, parce que je sentais au fond de moi qu'il fallait que je le fasse... Puis, quand je t'ai vue, complètement absente, comme une somnambule, debout au beau milieu du salon avec ton petit automatique à la main, je me suis dit...

Elle resta un bon moment à pleurer.

— Marianne, pardonne-moi. J'ai complètement perdu la tête. J'avais pris de la drogue... Oui, je l'avoue, j'ai pensé à l'argent... Si on t'accusait, si on te trouvait coupable, toi... je toucherais ma part de la fortune, immédiatement... Je me suis sauvée, en emportant le revolver, je t'ai laissée seule avec le cadavre... Mais en oubliant de te prendre aussi ton revolver pour brouiller les pistes... J'aurais bien dû penser qu'à l'examen on aurait découvert que l'arme n'avait pas servi, et que la balle que le cadavre avait dans le corps n'était pas du même calibre que celui de ton pistolet... Mais je te l'ai dit : j'avais la tête tout à l'envers, je savais à peine ce qui était en train de m'arriver...

Lionel n'osait en croire ses oreilles.

— Est pas responsable, cria-t-il tout à coup. C'est vrai qu'elle avait pris de la drogue. C'est moi qui lui en fournissais. Est pas responsable. Vous pouvez pas l'accuser.

Le Manchot se tourna vers Tanguay.

— Je me suis souvenu de votre témoignage. Vous m'avez dit avoir erré longtemps en quittant votre maison, en colère, après la scène que vous aviez eue avec votre épouse. Puis, vous avez songé à Lorraine. Elle devait avoir vu la lettre. Vous êtes allé chez elle. Vous m'avez dit qu'elle était dans tous ses états. Maintenant, c'est très clair pour moi. Quelqu'un qui a commis un meurtre n'est jamais très calme.

Lorraine serrait sa sœur dans ses bras.

— Je te jure que j'aurais dit la vérité, Marianne. Jamais je ne t'aurais laissée accuser. Tu me crois, n'est-ce pas ?

Les larmes aux yeux, Marianne glissa sa main dans la longue chevelure de sa jeune sœur.

— Oui, je te crois.

Elle ajouta à voix très basse.

— Il faut que je te croie !

Sirois s'avança et prit la jeune fille par le bras.

— Allons, venez avec moi, mademoiselle. Il faut laisser reposer votre sœur.

Lorraine se redressa brusquement :

— Non, non, je ne veux pas, je ne veux pas. Laissez-moi... Marianne !

Mais déjà, le détective Sirois l'avait fait sortir de la chambre.

Bernard Tanguay s'était approché du lit. Il tenait sa femme dans ses bras.

— Je vous en prie, laissez-nous, murmura-t-il.

Le Manchot sortit de la chambre, suivi d'Euclide, de Candy et de Michel. Aussitôt, Euclide glissa la main dans sa poche, sortit sa pipe déjà chargée et fit craquer une allumette.

— Restons pas ici, Michel, fit Candy. Jamais je pourrai m'habituer à cette senteur. Je vous attends dans l'entrée, Robert.

— Nous pouvons retourner ensemble au bureau, proposa Michel.

— Non, je préfère rentrer avec Robert, dit-elle en se dirigeant vers l'ascenseur. Seul, tu pourras mieux réfléchir.

— La jeune Lorraine! murmura le grand Beaulac. Jamais j'aurais deviné.

— Il s'agit pas de deviner, mon cher. Il faut de l'intelligence, de la réflexion et beaucoup d'intuition. Mais décourage-toi pas. À nous voir travailler, ça viendra, tu apprendras.

Et tous les deux disparurent dans l'ascenseur.

— J'aurais bien dû suivre ma première idée, fit Euclide. Si j'étais allé tuer Gauvin tout de suite, ça aurait tout arrangé. Pour une fois, mon revolver aurait servi à quelque chose... Et puis, moi, ma vie achève... Lorraine, sa vie commence.

— Elle s'était engagée sur une fort mauvaise pente, fit Robert Dumont. Comme vous dites, elle est jeune. Avec un bon avocat, elle s'en tirera peut-être avec quelques années. Elle est probablement récupérable. Du moins, je l'espère.

Lionel Riendeau était sorti de la chambre. Il paraissait incapable de faire un pas de plus. Avant de s'éloigner d'Euclide, le Manchot lui dit avec un petit sourire:

— Je passerai vous voir, au bureau. Nous avons certains comptes à régler. Pour le moment, n'abandonnez pas vos amis. Ils ont besoin de vous.

Puis, Robert Dumont s'approcha du jeune Riendeau.

— Viens, bonhomme, dit-il en le prenant par le bras, tu n'as plus rien à faire ici.

La tête basse, il se laissa emmener par le Manchot. En arrivant à la porte de l'ascenseur, il murmura:

— Vous savez, Lorraine... je l'aimais bien.

— La prochaine fois, quand tu aimeras quelqu'un, essaie donc de lui faire du bien, de l'aider au lieu de lui passer de la drogue. J'espère que ça te servira de leçon.

Les deux hommes se séparèrent, dans le grand lobby de l'hôpital. Lionel Riendeau s'éloigna, la tête basse, tandis que Candy rattrapait le Manchot.

— Qu'est-ce qu'il a, celui-là?

— Pour parler comme lui, fit le Manchot, je crois qu'il vient de « sortir de la brume ».

Puis, après un instant de silence, il demanda :

— Michel est parti?

— Oui, il semblait pas particulièrement de bonne humeur. Il s'en veut de pas avoir découvert la vérité. Au fait, Robert, je vous félicite; c'est du beau travail.

— Tu n'avais rien deviné?

Elle eut un large sourire.

— Rien du tout. Mais oubliez pas que je suis nouvelle dans le métier. J'apprendrai et, si possible, un jour, je tâcherai de dépasser mon maître. Il est fini, le temps où les femmes devaient toujours se faire damer le pion par les hommes. Je sais pas pourquoi, mais déjà, j'ai l'impression que Michel se sent inférieur à moi.

— Orgueilleuse!

*

* *

La porte du bureau du Manchot s'ouvrit et Michel glissa sa tête dans l'entrebâillement.

— Je peux vous voir, deux minutes?

— Mais oui, fit le Manchot avec bonne humeur.

Le grand Beaulac referma la porte derrière lui. Il s'avança devant le bureau de son patron. Il paraissait hésitant.

— Toi, tu as quelque chose à me dire et tu ne sais par où commencer. C'est bien ça?

Michel sourit bêtement, puis demanda:

— Candy est pas là, ce matin?

— Je ne sais pas. Possible qu'elle soit arrivée.

— Non, elle est pas là. Elle viendra pas... pas tout de suite.

Le Manchot se leva et s'approcha de son jeune collaborateur.

— Dis-moi ce qui se passe!

— On a beaucoup parlé de vous à la suite de l'affaire Gauvin... On a aussi parlé de Candy. J'ai même l'impression qu'elle a remis des photos aux journalistes.

— Possible, elle ne déteste pas la publicité.

— Justement, carabine... la publicité... Les journalistes aiment beaucoup les potins, les scandales...

Robert Dumont faillit se fâcher.

— Vas-tu parler à la fin. Je commence à en avoir plein le dos. Tu as commis une bêtise?

— Oui... Enfin, oui et non... Pas directement moi.

Le Manchot comprit:

— Il s'agit de Candy?

— Oui.

— Qu'est-ce qu'elle a fait ?

— C'est que... Enfin... Il n'y a peut-être pas de journalistes, il se peut que j'exagère les choses et...

— Vas-tu parler, animal ! s'exclama le Manchot à bout de patience. As-tu juré de me rendre fou ?

— Au moment où on se parle, Candy doit passer devant un juge... en cour.

— Mais pourquoi ? demanda Dumont, atterré.

— Elle a été arrêtée, hier soir, avec d'autres filles... On va l'accuser de... enfin, de donner des spectacles indécents... de vivre des fruits de la prostitution.

— Quoi ? fit le Manchot en s'assoyant sur le bord de son bureau. Candy ? De la prostitution ?

Que s'est-il donc passé exactement ? Comment se fait-il que Michel Beaulac soit au courant de la mésaventure de Candy ?

Cette nouvelle employée causera-t-elle des soucis au Manchot ? L'accusera-t-on formellement d'être une prostituée ?

Vous aurez réponse à toutes ces questions en suivant le Manchot dans sa prochaine aventure qui aura pour titre : *Tueur à répétition*.

Table des matières

Dans la même collection

LE MANCHOT — 01

LA MORT FRAPPE DEUX FOIS

À la suite d'un accident, le policier Robert Dumont devient manchot. Il se voit forcé de prendre une retraite prématurée.

Patrick Morse lui offre un emploi à la maison Sorino. Il devra faire enquête sur la disparition régulière de pierres précieuses.

Mais le Manchot s'intéresse beaucoup plus à la mort accidentelle de Luigi Sorino, survenue quelques mois plus tôt. Dumont est persuadé que le mystère entourant cette mort n'a pas été complètement éclairci. Il accepte donc l'emploi de Morse. Mais il ne vise qu'un but : résoudre l'énigme Sorino.

C'est alors que les complications surviendront, entraînant le Manchot dans une première aventure où l'action va bon train et où la mort rôde continuellement.

Dans la même collection

LE MANCHOT — 02

LA CHASSE À L'HÉRITIÈRE

Plusieurs héritiers sont déçus. Philippe Rancourt laisse son entière fortune à sa fille. Mais voilà que cette dernière a été abandonnée par son père alors qu'elle était bébé et Rancourt est toujours demeuré sans nouvelles d'elle.

L'enfant a sans doute été adoptée, mais on ignore par qui.

Le Manchot doit retrouver l'héritière de cette fortune. La tâche s'annonce extrêmement ardue car plusieurs personnes ont tout intérêt à ce que cette fille ne soit jamais identifiée.

Le Manchot et Michel, son adjoint, verront de nombreuses embûches se dresser sur leur route, d'autant plus que plusieurs jeunes filles tenteront de se faire passer pour l'enfant de Rancourt, dans le but d'hériter de sa fortune.

Une chasse à l'héritière, palpitante du début à la fin.

Dans la même collection

LE MANCHOT — 03

MADEMOISELLE PUR-SANG

Nicole, la nouvelle secrétaire du Manchot, a été choisie pour tourner dans un film canadien : « Mademoiselle Pur-sang ».

Robert Dumont et Michel Beaulac sont invités à assister à une journée de tournage.

Au beau milieu d'une scène, une comédienne meurt, assassinée.

Le Manchot est immédiatement engagé par le producteur pour faire enquête. Selon lui, ce sera une enquête de routine puisque l'assassin se trouve sur le plateau et qu'il n'a pu se débarrasser de son arme.

Mais la situation se complique drôlement et d'autres meurtres sont commis dans cette atmosphère très spéciale au milieu du cinéma.

Suivez le Manchot dans cette nouvelle aventure remplie de péripéties.

Dans la même collection

LE MANCHOT — 04

ALLÔ... ICI, LA MORT!

Qui est ce maniaque qui tente de terroriser Cécile Valois par ses appels anonymes? Non seulement il apprend à cette femme que son mari la trompe, mais il menace de tuer Valois.

Le Manchot est appelé à enquêter sur cette affaire qui semble anodine. Mais le maniaque décide de mettre ses menaces à exécution. Il frappera à Montréal, il frappera également à Miami, où Nicole a accompagné madame Valois en vacances.

Robert Dumont et ses aides passeront par toute la gamme des émotions avant de pouvoir démasquer le coupable.

Suivez le Manchot dans cette nouvelle aventure qui vous tiendra en haleine, du début à la fin.

Dans la même collection

LE MANCHOT — 06

TUEUR À RÉPÉTITION

Un maniaque a décidé de faire la guerre aux prostituées. Plusieurs meurent étranglées. La police semble incapable de mettre la main au collet de ce désaxé.

Quelques indices permettent à l'inspecteur Bernier de soupçonner le Manchot. Pour se venger, ce policier s'acharnera contre son ancien subordonné.

Candy, la nouvelle collaboratrice du Manchot, fréquentera le milieu des filles de joie, se fera passer pour l'une d'elles et tentera d'attirer le tueur dans un piège.

Mais les situations se compliquent continuellement, les cadavres s'accumulent, Candy risque sa vie inutilement et le Manchot se retrouvera derrière les barreaux, avec un

Bernier qui tentera de le faire passer pour un maniaque sexuel.

Une aventure remplie de rebondissements, où l'action vous tiendra sur le qui-vive.

Suivez le Manchot dans ce nouveau roman où le climat est continuellement à la pluie... une pluie de cadavres.

Dans la même collection

LE MANCHOT — 07

L'ASSASSIN NE PREND PAS DE VACANCES

Ce sont des vacances plutôt bizarres auxquelles Roger Garnier convie ses invités.

En effet, durant trois jours, plusieurs de ses employés se rendront au chalet d'été du riche industriel.

Garnier n'a qu'un but. Amadouer ses employés et, surtout, empêcher le syndicat de s'établir dans son usine.

Garnier ignore cependant que la mort sera au rendez-vous et que l'assassin, lui, ne prend pas de vacances.

Un meurtre sera commis sous les yeux mêmes de Michel Beaulac, et le Manchot devra se porter au secours de son assistant afin d'éclaircir ce drame rempli de péripéties et de suspense.

LE MANCHOT — 08

ÉCHEC ET... MORT

Quatre ans plus tôt, un vol de quatre millions a été commis à la bijouterie Centy. On n'a jamais retrouvé cette fortune. Yvon Roussard, bagnard soupçonné de ce vol, meurt d'une crise cardiaque. Cependant, il a laissé à sa concubine une enveloppe contenant peut-être le secret du trésor disparu.

Irène Fargue demande l'aide du Manchot. Aguiché par la promesse d'une récompense de $125 000, ce dernier se laissera attirer dans une aventure où les criminels les plus endurcis n'hésitent pas à tuer pour arriver à leurs fins. Une aventure où l'action est présente à chaque instant. Une course au trésor où la mort guette à chaque tournant du parcours.

LE MANCHOT — 09

L'ABEILLE AMOUREUSE

Le Manchot reçoit une lettre. Un homme lui demande de le protéger, car on veut attenter à sa vie. Lorsque Robert Dumont cherche à entrer en communication avec cet homme, une surprise l'attend.

Une journaliste hérite d'un pendentif: l'« Abeille amoureuse ». D'après la légende, ce pendentif rend passionnée toute femme qui le porte et attire les malheurs sur l'homme qui décide de le garder.

Dumont découvre que le type qui lui a écrit est celui-là même qui avait la garde de l'abeille amoureuse.

Quant à Candy, ne voulant pas croire à la légende, elle décide de porter l'étrange pendentif. Et c'est le début d'une aventure mystérieuse, remplie de rebondissements imprévus de la première à la dernière page.

Pour de plus amples informations concernant nos publications, demandez notre catalogue complet à l'adresse suivante :

ÉDITIONS QUÉBEC/AMÉRIQUE
450 est, rue Sherbrooke
Suite 801
MONTRÉAL, P.Q.
H2L 1J8

Dans les pages suivantes, nous vous suggérons quelques titres de notre catalogue, actuellement disponibles chez Québec/Amérique. Ces livres sont en vente dans toutes les bonnes librairies. Vous pouvez aussi les commander à l'adresse ci-dessus, en envoyant un chèque ou un mandat postal.

des témoignages d'une extrême cruauté

des récits d'exécutions bouleversants,

des bourreaux parlent...

JOHN F. MORTIMER

ÉDITIONS QUÉBEC | AMÉRIQUE

LES BOURREAUX

John F. Mortimer

Quels furent, quels sont donc ces hommes qui tuent au nom de la loi et qui exécutent la sentence de juges et de jurés, condamnant aussi souvent les criminels et les coupables que les innocents ?

Ce livre est un document exceptionnel sur l'un des comportements les plus ténébreux de la société humaine dont les lois reflètent les contradictions.

308 p. $9.95

BARRY BROADFOOT

la grande dépression

LA GRANDE DÉPRESSION

Barry Broadfoot

Un livre vivant, formé des quelque 600 témoignages recueillis par l'auteur au cours de deux voyages à travers le pays. Ces témoignages de gens ordinaires racontent ce qu'on ne mentionne pas dans les livres d'histoire à l'école : l'histoire honteuse de dix années perdues. Ces témoignages, si invraisemblables parfois, sont véridiques et les personnes de plus de 50 ans ne pourront les lire sans se rappeler leur jeunesse.

395 p. $14.95

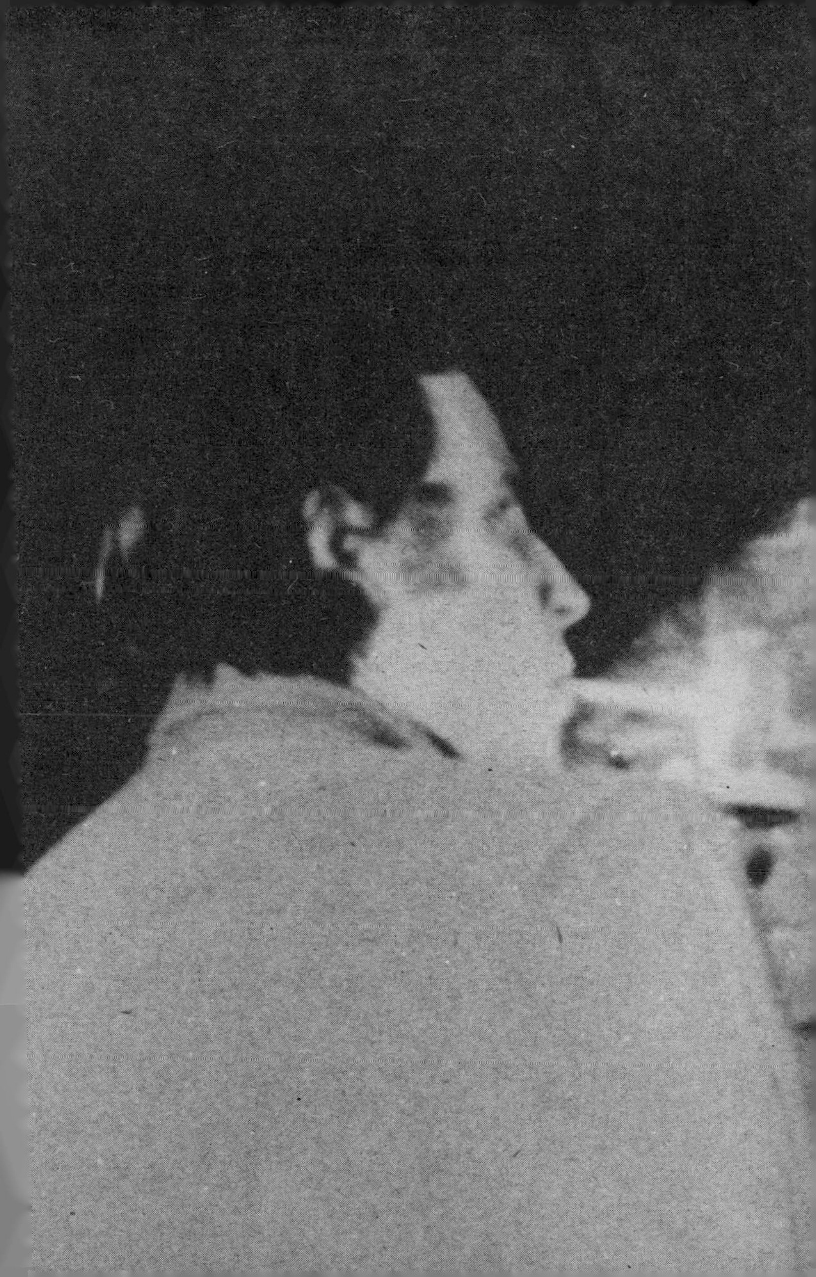

COMPOSÉ AUX ATELIERS GRAPHITI INC.
À SAINT-GEORGES-DE-BEAUCE
ACHEVÉ D'IMPRIMER SUR LES PRESSES DE
L'ÉCLAIREUR LTÉE À BEAUCEVILLE

EC—5470